Les histoires drôles de Claude Blanchard

LES ÉDITIONS DE L'ÉPOQUE
Une division de Québecmag (1984) inc.
3510, boul. Saint-Laurent, suite 300
Montréal, QC, H2X 2V2
(514) 286-1333

Éditeur:
Pierre Nadeau

Photos: Sylvain Giguère

Conception graphique: Gilles Cyr, Le Graphicien inc.

Agence de Distribution Populaire inc. (ADP)
(514) 523-1182

Dépôt légaux, premier trimestre 1986:
Bibliothèque nationale du Québec et
Bibliothèque nationale du Canada

ISBN 2-89301-015-6

Les histoires drôles de
Claude Blanchard

Les Éditions de l'Époque

Collection
humour

TABLE DES MATIÈRES

PRÉFACE

Comédien, comme il y en a peu
Le public l'admire comme il se doit
Avec une estime et une admiration
Uniques... il a une place de choix
Dans le rang des vedettes,
Et plus d'un l'envie...

Bien faire rire est
L'ambition de ce comique...
Avec le public il se sent à l'aise,
Nul ne peut le nier.
Claude est chez lui sur scène...
Habilement, il sait effacer les ennuis quotidiens,
Apportant une joie de vivre avec le
Rire et la bonne humeur qu'on lui connaît
Depuis toujours...

> Longue vie à l'humour
> Par toi, Claude...
> P.N.

Conseil: Après avoir ingurgité quelques blagues, ne pas prendre le volant, vous pourriez mourir de rire...!

> C.B.

Pensée: rire, c'est comme manger. Quand on est bien servi c'est meilleur...!

9

Femmes, hommes et mariage

Le jeune homme demande à sa nouvelle amie:
— Est-ce que tu veux me donner ton adresse?
— J'peux pas, si je te la donne, je n'en aurai plus…

Le mari arrive de travailler et se met à table.
— Oh! que ce poulet a l'air bon, ma chérie! Qu'as-tu
mis dedans?
— Rien, il était déjà plein.

Elle à son amie:
— Quand je me chicane avec mon mari, j'envoie les
enfants jouer dans le jardin…
— Ah! c'est donc pour cela qu'ils ont une mine superbe,
les chers petits; ils vivent continuellement au grand air!

Dans un casino:
— Dites-moi, monsieur, demande une dame qui vient jouer à la roulette, quels numéros puis-je jouer?
— Jouez votre âge, habituellement c'est chanceux pour une personne qui joue pour la première fois...
Alors la femme joue le numéro 32, et attend... Tout à coup, la roulette s'arrête et la femme s'évanouit. La boule s'était arrêtée sur le numéro 46...

Le patron à sa secrétaire:
— Y a-t-il eu des appels importants durant mon absence?
— Oui, monsieur, mais ils étaient tous pour moi...

La femme marche sur le trottoir. Soudain, un petit garçon lui dit:
— Hé! madame, vous avez un sein à l'air!
— Oh! mon Dieu, j'ai oublié mon bébé dans l'autobus!

J'ai connu une femme tellement féministe que lorsqu'elle désirait savoir l'heure, elle demandait:
— Quelle heure est-elle?

La femme se confie à une amie:

— Mon directeur de banque m'a conseillé d'investir mon argent dans le plastique.

— C'est pour ça que tu t'es fait refaire le visage et les seins?

Chez le fleuriste:

— C'est écrit dehors: «Dites-le avec des fleurs.»

— Mais oui, ma chère dame…

— Auriez-vous des fleurs en plastique, c'est pour un mensonge…

Deux femmes discutent:

— La dernière fois que je suis allée au théâtre, je suis sortie après le premier acte… Je ne voulais pas attendre, c'était écrit sur le programme que le deuxième acte se passait un an plus tard…

Elle à une amie:
— Crois-tu aux mariages heureux?
— Certainement, j'en ai fait cinq!

L'épouse à son mari:
— Pourquoi ne m'as-tu pas parlé de la semaine?
— Mais, chérie, je ne voulais pas t'interrompre!

Deux amies se rencontrent:
— Il paraît que tu as commencé à prendre des bains de lait pour avoir une belle peau?
— Oui, jusqu'à ce que je trouve une vache assez haute pour prendre des douches…

Une voyante à sa cliente:
— J'ai une horrible nouvelle à vous annoncer: votre mari est en danger de mort…
— D'accord, d'accord, mais voyez-vous si je serai acquittée?

— Pourquoi pleures-tu, Paul?

— Maman a écrasé ma bicyclette, papa...

— Je te l'avais pourtant dit, de ne pas laisser ta bicyclette sur le balcon!

Il paraît que, chez les femmes, les dix plus belles années de leur vie se situent entre 28 et 30 ans...

Deux dames bavardent:

— Tu as entendu parler de cette nouvelle crème rajeunissante venue du Tibet?

— Oui, je l'utilise depuis dix mois...

— J'ai bien fait de ne pas en avoir acheté...

Une femme qui parle, c'est.......... un monologue...

Deux femmes qui parlent.......... un dialogue..

Trois femmes qui parlent.......... un trialogue...

Mais quatre femmes qui parlent, c'est un catalogue.

Madame à sa femme de ménage:
— Paulette, je peux écrire mon nom sur les meubles...
— Eh! que c'est beau l'instruction!...

Elle à une amie:
— Hier, je suis allée voir une tireuse de cartes extraordinaire! Elle a commencé en me disant que j'avais mangé de l'ail, et elle disait vrai...

Au rayon des vêtements pour dames:
— Dites-moi, mademoiselle la vendeuse, est-ce que je peux essayer la robe dans la vitrine?
— Faites donc comme tout le monde, madame, allez dans la salle d'essayage...

Confidence:
— Mon mari me trompe tellement que je ne suis pas certaine que nos enfants soient tous de lui...

— Sais-tu pourquoi le cerveau d'un homme est gros comme la tête d'une épingle?... Parce qu'il est enflé!...

Elle à une amie:
— Sais-tu ce que font 36 hommes dans une piscine?
— Non...
— De la soupe aux légumes...

Une dame arrive à une station-service, sa voiture complètement en accordéon...
— Dites-moi, monsieur, vous pouvez faire quelque chose pour ma voiture?
— Désolé, madame, ici on lave, on répare, mais on ne repasse pas...

Au bureau du personnel:
— Vous venez pour le poste vacant?
— Oui, et j'ai dix ans d'expérience en ce domaine.
— Êtes-vous marié?
— Non.
— Désolé, mais nous voulons des employés déjà entraînés à obéir...

Elle à sa voisine:
— Tiens, j'ai une oreille qui siffle...
— Je dois être sourde, je n'entends rien...

En cour:
— Alors, pourquoi, lorsque vous avez surpris votre femme au lit avec un autre homme, avoir tué cette dernière plutôt que de tuer l'homme qui était avec elle?
— C'est simple, Votre Honneur, j'aimais mieux tuer une femme qu'un homme tous les soirs...!

Quatre femmes discutent:
— Vous savez, j'ai tout avoué de ma vie passée à mon fiancé...
— Quelle honnêteté! s'écrie la première.
— Quel courage! fait la seconde.
— Quelle mémoire! fait la dernière...

Elle à sa voisine:

— Oh mon Dieu! il fait un vent à écorner tous les cocus de la terre…

— Ciel! Et mon mari qui est parti sans chapeau!…

La fille à sa mère:

— Avant, j'avais la mauvaise habitude de tout oublier. Mais maintenant, j'écris tout sur un papier, mais le problème est que je ne me rappelle jamais où je mets mes papiers!…

Deux voisins discutent:

— Si je peux me permettre de vous donner un conseil… Vous devriez tirer soigneusement les rideaux, vers dix heures le soir, car tout le monde peut vous voir embrasser et caresser votre femme…

— Ah! Ah! Elle est bien bonne celle-là! Mais à cette heure-là, je ne suis jamais revenu de mon travail!…

Elle à son mari:

— Quand nous nous sommes mariés, tu étais très très impatient, je n'avais même pas le temps d'enlever mes bas… Aujourd'hui, j'aurais le temps de m'en tricoter une paire!…

On apporte à Mme Thétrault les quatre enfants qu'elle vient de mettre au monde. Désolée, elle dit:
— Maman avait raison, je n'aurais jamais dû épouser un bègue…

Elle à son mari:
— Tu sais, chéri, avant de mourir, je veux t'avouer des choses. Je ne t'ai trompé que deux fois en 45 ans de mariage. La première fois avec Albert, et la seconde avec le régiment Maisonneuve…

— Moi, quand je me rase, dit un monsieur à son épouse, j'ai l'impression d'avoir rajeuni de 20 ans…
Cette dernière de lui répondre:
— Tu devrais te raser souvent le soir, avant de te coucher!…

— Mon mari, explique une dame à son psychiatre, se prend pour un réfrigérateur.
— Ce n'est rien de bien alarmant, ma chère dame.
— Mais si, parce qu'il a l'habitude de dormir la bouche ouverte, et la petite lumière me réveille!...

Vie de couple:
— Mon chéri, quand on s'est mariés, tu me prouvais toujours ton amour après les repas en me caressant le menton.
— Oui, mais à l'époque, tu n'en avais qu'un!...

— Mon voisin était sur le point de divorcer, mais sa femme a vu le magazine *Les malheurs du divorce*, et elle a changé d'idée: elle reste...
— Qu'as-tu fait?
— J'ai écrit à la revue.
— Pour les remercier?
— Non, pour annuler mon abonnement!...

Paul à son ami:
— Moi et ma femme, durant 20 ans, nous avons été les personnes les plus heureuses du monde.
— Et ensuite?
— Ensuite? Nous nous sommes connus et mariés!...

En tant qu'homme prudent, à l'occasion de la semaine de la sécurité routière, j'ai envoyé ma femme travailler sans l'auto...

Depuis que je suis marié, j'ai trouvé un bon moyen d'évasion. À chaque fois que je me chicane avec ma femme, je sors le projecteur et je regarde le film de notre mariage, mais à l'envers! C'est l'fun! Quand le film finit, je sors de l'église en homme libre!...

Quand j'ai dit à ma femme que les hommes avaient un meilleur jugement que les femmes, elle m'a dit:
— T'as parfaitement raison; la preuve, tu m'as mariée!...

Lui à son ami:
— J'ai découpé l'article de l'homme qui a tué sa femme quand il l'a surprise en train de fouiller dans ses poches...
— Que vas-tu en faire?
— Je vais le mettre dans mes poches!...

J'ai un ami tellement distrait que, l'autre matin, sa femme est venue le reconduire en automobile à son travail, et ce dernier a claqué sa femme et embrassé la portière!

J'ai demandé à mon fils si de voir papa et maman agir en personnes mariées lui enseignait quelque chose. Il m'a répondu:
— Oui... à ne jamais me marier!

J'espère qu'ils font des «lifting» pour les hommes parce que lorsque ma femme est allée s'en faire faire un et que j'ai vu la facture, la face m'est tombée!...

Deux amis se rencontrent dans l'autobus:
— Ça va bien chez toi?
— Mal! Il y a trois mois, j'ai eu le malheur de dire à ma femme une parole désagréable et, depuis ce temps, elle ne parle plus!
L'autre le prend par le bras...
— Je t'en supplie, dis-moi vite cette parole désagréable!...

Le père, la mère et le fils discutent:
— Voyou, dit le père à son fils, tu as encore pris de l'argent dans mon portefeuille!
— Mais, papa...
— Tais-toi, petit voleur!
— Pourquoi l'accuses-tu ainsi? dit la mère. Cet argent qui te manque, j'aurais très bien pu le prendre moi-même dans ton portefeuille...
— Sûrement pas, toi, tu aurais tout pris!...

Moi, en tant qu'homme, j'ai trouvé la solution au problème des jeunes filles... Si elles arrêtaient de courir après un mari et couraient après les célibataires...

Monsieur retire le bras glissé sous les épaules de sa maîtresse pour répondre au téléphone... Il raccroche et...
— C'est ma femme, elle voulait me dire qu'elle était en train de prendre un café avec toi...

— Est-ce que ton grand-père court encore après les femmes?
— Beaucoup moins depuis qu'on a enlevé les roues de son fauteuil roulant!...

D'après les statistiques, après avoir fait l'amour:
30% des hommes se tournent et ronflent...
20% fument une cigarette...
50% rentrent chez eux...

Un puissant sheik rassemble les 80 femmes de son harem:
— J'ai une mauvaise nouvelle à vous apprendre: je vais demander le divorce... Je suis tombé en amour avec un autre harem!...

Lui à son ami:
— Hier, j'ai dit à ma femme que je voulais une surprise pour souper. Sais-tu ce qu'elle a fait? Elle a enlevé toutes les étiquettes des boîtes de conserves!!!

— Les hommes préfèrent-ils les femmes jalouses ou les autres?
— Quelles autres?...

Dans un restaurant, deux amis discutent:
— C'est fou ce que la vie est chère...
— Oui, et le plus terrible, c'est qu'on ne peut pas s'en passer!...

Madame est au volant, monsieur est assis à ses côtés. Madame est soudainement embarrassée, car la route est bloquée.
— Regarde, chéri, ce gros camion qui bouche la route. Qu'est-ce que je dois faire? Tu crois que ça passe?
— Mais enfin, pourquoi me poses-tu toutes ces questions? Lorsque je suis au volant, tu sais toujours ce qu'il faut que je fasse!...

Paul à Maurice:

— Tu sais la petite Marie, qui a été ma fiancée durant trois ans.

— Oui, je m'en souviens…

— Eh bien! elle s'est mariée l'année dernière, et hier son mari est mort… Une chance que je ne l'ai pas mariée, c'est moi qui serais mort hier!…

Paul a toujours l'habitude d'entrer chez lui à des heures tardives, et en état d'ébriété avancée. Sa femme décide de le guérir. Elle prend un drap, se le met sur la tête, et allume une lampe de poche dessous. Lorsque le mari fait son entrée, elle se met à gesticuler…

— Mais qui es-tu? s'enquiert le mari en voyant cela…

— Je suis le diable…

— Enchanté, je suis ton beau-frère, j'ai marié ta soeur!…

Deux amis se retrouvent après avoir été seize ans sans se voir une seule fois…

— Quoi de neuf?

— Ma femme me trompe!

— Je t'ai demandé, quoi de neuf?…

Devinettes

Qu'est-ce qu'un célibataire?

C'est un homme qui peut avoir plusieurs femmes sur les genoux, mais aucune sur les bras!...

Quelle est la première plante que met un homme dans son jardin?

La plante des pieds!...

Je suis dans le bois, et j'ai seulement une allumette. Je dois allumer un feu, un fanal et une cigarette. Que dois-je allumer en premier?

L'allumette...

Pourquoi les femmes célibataires nudistes ne prennent-elles jamais de bain de soleil?

Parce qu'elles veulent se marier en blanc!...

Pourquoi allume-t-on les cierges dans l'église?

Parce qu'ils ne peuvent s'allumer seuls!...

Quelle est la différence entre une puce et un chien?

Le chien peut avoir des puces... mais la puce ne peut avoir de chien!...

Qu'est-ce qui porte des lunettes mais ne peut pas voir?

Un nez!...

Quelle est la définition d'un galant homme?

C'est celui qui se rappelle l'anniversaire de sa femme mais qui oublie son âge!...

Quelles sont les lettres les plus vieilles de l'alphabet?
A... G!...

Quand la visite vous fait-elle plaisir?
Si ce n'est en arrivant, c'est en partant!...

Que doit-on faire pour empêcher un coq de chanter le dimanche matin?
Le tuer le samedi soir!...

Qu'est-ce que l'abdomen?
C'est la partie de l'homme qui l'empêche, lorsqu'il atteint la quarantaine, de voir ses pieds!...

La définition d'un couple heureux:
Un mari avec la femme de son ami...

Quelle est la différence entre une fraise et une femme au volant d'une auto?

Aucune: les deux se ramassent dans les champs!...

Qu'est-ce qui est rouge, noir et qui vole?

Une mouche qui saigne du nez!...

Qu'est-ce que les Chinois font avec leur pelure de banane?

Ils font comme tout le monde, ils la jettent...

Pourquoi y a-t-il tant d'accidents sur la route?

C'est à cause des hommes. Parce que lorsqu'ils sont ivres ou fatigués, ils laissent conduire leurs femmes!...

Quelle est la différence entre un homme qui tombe du dixième étage et celui qui tombe du premier?

Celui qui tombe du dixième fait: Ahhhhhhhhhhhhh... Boum!...

Celui du premier fait: Boum!... Aye, aye, aye, aye, aye...!

Qu'est-ce qui n'est pas un chat, qui miaule, et qui mange des souris?
   Une chatte...

Quelle est la différence entre une boîte à malle et une toilette?
   Tu ne le sais pas?... Je ne t'enverrai jamais maller une lettre!...

Quand un newfie marche-t-il courbé?
   Lorsqu'il porte une cravate à poids...

Pourquoi les newfies se baignent-ils seulement au centre des piscines et des lacs?
   Parce qu'ils sont niaiseux sur les bords...

Quelle est la différence entre une tasse de café et une belle-mère?
Il n'y en a pas, les deux tombent sur les nerfs!...

Pourquoi les hommes sifflent-ils plus que les femmes?
Parce qu'ils ont une cervelle d'oiseau!...

Qu'est-ce qui pèse: 1500 livres le matin... 500 livres le midi... et 5 livres le soir?...
Un mari!
Sa femme lui dit: Lève-toi, mon gros boeuf... Mange, mon cochon... Viens-te coucher, mon lapin...

Comment un fonctionnaire fait-il un clin d'oeil?
En ouvrant un oeil!...

Comment dit-on une couche en japonais?
Saccacaca!...

Boissons et bars

Deux ivrognes devant une statue:
— Découvre-toi et salue.
— Pourquoi?
— C'est une statue de Galilée...
— Qui ça?
— Celui qui a découvert, bien avant nous, que la terre tournait!...

— Mon pauvre ami, dit le médecin, à cause de la boisson, vous voilà avec tout le côté gauche paralysé...
— Voyons donc, docteur, ce n'est sûrement pas à cause de la boisson, je n'ai jamais tenu mon verre de la main gauche...!

Un jeune homme qui fait une demande d'emploi comme infirmier se fait poser la question suivante, lors d'un examen oral:

— Si un homme perd connaissance sur la rue, que faites-vous?

— Je lui donne du cognac...

— Oui, mais si vous n'en avez pas?

— Je lui en promets!...

Dans une salle de concert, un spectateur entraîne le chef d'orchestre au bar et lui dit:

— Vous voulez un verre?

— Je vous remercie, mais c'est moi qui conduis!...

Deux matelots, naufragés dans un île déserte depuis plus de dix ans, aperçoivent un objet flottant sur la mer. C'est un magnum de champagne, qui vient finalement se poser à leurs pieds.

— Bon sang!, s'écrie l'un des naufragés en prenant la bouteille, as-tu vu comment nous avons rapetissé?...

— S'il vous plaît, donnez-moi un litre de vin...

— De blanc ou de rouge?

— Ça n'a aucune importance, c'est pour un aveugle...

— Dites-donc, docteur, est-ce vrai que l'abus de l'alcool rend sourd?
— Pardon? Qu'est-ce que vous dites?...

Deux époux se querellent:
— Tu es soûl!... lui dit-elle?
— Tu es laide!... lance-t-il.
— Tu es soûl!
— Tu es laide!
— Tu es soûl!
— D'accord, je suis soûl, mais moi, demain, je serai dégrisé...

Dans un café, un clochard compte depuis dix minutes une poignée de petite monnaie.
— Que faites-vous? lui demande le garçon.
— Je compte si j'ai encore soif!...

— Dis donc, il paraît que l'âge améliore le whisky...
— C'est sûrement vrai, plus j'avance en âge, plus j'aime le whisky!...

Deux fermières se rencontrent:
— Comment faites-vous pour que votre mari bêche tout votre jardin?
— C'est simple, j'y cache ses bouteilles de boisson!...

Une femme à une amie:
— Je ne me suis jamais aperçue que mon mari buvait, sauf après six mois de mariage, lorsqu'il est arrivé à jeun!...

Au bureau, deux employés discutent en buvant un café:
— Moi, il y a deux ans, le chirurgien qui m'a opéré a oublié de me retirer une éponge du corps!...
— Quoi? Et il ne t'a jamais réopéré pour la récupérer?
— Non, il a dit que c'était sans gravité.
— Tu n'en as jamais souffert?
— Non, jamais, mais c'est fou comme j'peux avoir soif depuis!...

— Vous avez tort de boire, dit une brave dame à un ivrogne. Ça n'a pas de sens, vous trébuchez à chaque pas que vous faites!
— C'est vrai, admet l'ivrogne, j'ai tort, mais pas de boire: de vouloir marcher après!...

— Moi, je ne bois jamais, sauf en deux occasions... Quand je suis seule et quand je suis en compagnie!...

— J'en ai assez, dit-elle à son mari. Avant-hier, tu es rentré hier; hier tu es rentré ce matin... Aujourd'hui, si tu rentres demain, c'est moi qui m'en vais...!

Condamné à mort, le prisonnier est sur le point d'être pendu. Le garde s'approche et lui dit:
— Vous avez droit à une dernière faveur avant de mourir...
— J'aimerais boire une coupe de champagne.
— Ouais, ça peut s'arranger...
— Oui, mais d'une sorte de mon choix!
— D'accord, quelle sorte?
— Un 1995...

Dans une ferme, un coq saute sur la table et contemple tristement un coq au vin.
— C'est donc vrai que l'alcool tue...!

— Savez-vous que l'alcool tue chaque année au moins 500 000 Français?
— Ça ne me dérange pas du tout, je suis Québécois!...

— Oh! Quelle horreur! s'écrie une femme en prenant une gorgée de bière dans le verre de son mari.
— Tu vois, et toi qui prétends que je bois par plaisir!...

Un baril de bière est tombé sur un homme et, curieusement, il n'a pas été blessé. Savez-vous pourquoi? C'était un baril de bière légère!...

39

Aux douanes:
— Que transportez-vous, M. le curé?
— De l'eau bénite, mon fils...
— Mais vous vous moquez de moi! C'est de l'alcool!
— Oh! Dieu soit béni, lance le curé tout excité, c'est un miracle...!

— Écoute, Paul, tu ne vas tout de même pas conduire ton automobile après avoir pris toute cette boisson!
— Mais je ne suis tout de même pas pour marcher dans cet état-là!...

— Dis-le-moi franchement: pourquoi bois-tu tant que ça?
— Pour oublier mon alcoolisme!...

Médecins, malades et hôpitaux

— Le médecin m'a dit de changer de mode de vie, de laisser les femmes, la boisson et le tabac...
— Que vas-tu faire?
— Changer de médecin...

Au match de boxe:
— Vas-y, Melo, casse-lui les dents!...
— Vous connaissez Melo?
— Non, mais je suis le dentiste de son adversaire...

— Madame, votre mari a vraiment besoin de tranquillité et de repos. Voici une boîte de calmants: vous en prendrez une toutes les deux heures...

L'homme est chez le dentiste, mais il ne cesse de parler et empêche le spécialiste de faire son boulot:
— Voulez-vous ouvrir votre bouche et fermer votre gueule!...

Paul regarde sa belle-mère et lui dit:
— Vous me faites penser à la mer, belle-maman...
— Pourquoi, mon gendre? Parce que je suis comme elle: onduleuse, romantique et indomptable?
— Non, parce que vous me rendez malade!...

Un homme vient de faire une crise cardiaque. Son médecin lui prescrit le repos le plus complet...
— Je n'ai pas le droit de...
— Non, cher monsieur, plus de sexe...
— J'ai tout de même le droit d'embrasser ma femme!
— D'accord, votre femme seulement: vous devez éviter les émotions!...

Deux squelettes en haut d'une falaise:
— As-tu peur de sauter?
— Es-tu fou! Je tiens bien trop à ma peau!...

— Docteur, vous m'avez dit que, pour mes rhumatismes, je devais éviter l'humidité...
— C'est bien ça, je vous ai dit ça il y a six mois.
— Voilà, j'aimerais savoir si j'ai maintenant le droit de prendre un bain!...

Un homme se confie à son psychiatre:
— Docteur, j'ai un problème. Je n'ai pas de mémoire, et dès que j'arrête de parler, je ne me souviens de rien...
— Depuis quand souffrez-vous de ça?
— Souffrir de quoi?...

Un patient de 65 ans chez le docteur:
— Docteur, j'sais pas ce que j'ai: après ma première je sens beaucoup de fatigue... Après la deuxième, je me sens les jambes molles... et après ma troisième, je commence à trembler et j'ai terriblement chaud!...
— Mais, mon cher monsieur, à votre première, arrêtez! À votre âge...
— Mais je ne peux pas, docteur, je demeure dans un troisième et il faut tout de même que je monte les trois escaliers!...

À l'hôpital:
— Où as-tu été blessé?
— Aux Philippines.
— Oh! Ça doit faire très mal!...

À l'asile:
— Tu sais, confie l'infirmière amoureuse, je suis tout à toi...
— T'es ben chanceuse, moi j'suis pas tout à moi!...

Une femme affolée téléphone au médecin:
— Vite, mademoiselle, je veux parler au médecin, ça presse! Mon petit vient d'avaler une aiguille...
— Le médecin est présentement occupé, mais dites-moi, avez-vous besoin de votre aiguille tout de suite?...

44

Un tire-bouchon va voir le médecin:
— Docteur, suis-je normal: lorsque je m'approche d'une bouteille la tête me tourne?...

— Docteur, je n'y comprends rien, à chaque fois que je bois une tasse de café, j'ai l'oeil qui me fait mal!
— C'est simple, quand vous buvez votre café, enlevez donc la cuillère!...

Deux microbes se rencontrent:
— Si tu te voyais, t'as une sale gueule!
— J'te crois, je suis malade...
— Qu'as-tu?
— J'ai attrapé la pénicilline!...

— Docteur, je suis cannibale, et je dois vous dire que j'ai d'atroces brûlements d'estomac. Que dois-je faire pour cela?
— Mangez un pompier par jour!...

À l'hôpital, à l'urgence:
— Je suis désolé, pauvre monsieur, mais vous êtes si amoché que je vais devoir vous couper les deux jambes…
— C'est bien dommage, docteur, mais si vous faites ça, je ne remettrai plus jamais les pieds ici…

Au cabinet du médecin:
— Dites-moi, pourquoi n'êtes-vous pas venue à votre rendez-vous la semaine dernière?
— Vous n'y pensez pas, docteur, j'étais malade!…

— Maman, j'ai très mal aux yeux, je veux aller chez le zieutiste…
— Mais, mon petit, on ne dit pas chez le zieutiste, mais chez l'oculiste…
— Mais, maman, c'est pas là que j'ai mal, c'est aux yeux!…

— Docteur, je ne sais pas ce que j'ai, je m'endors toujours au travail.
— Que faites-vous comme travail?
— Je travaille à l'abattoir, je compte les animaux...
— Des boeufs et des porcs?
— Non, des moutons!...

Inquiète, une jeune fille se présente à l'hôpital où son ami a été conduit. Une dame âgée lui demande:
— À quel titre voulez-vous le voir?
— Heu... Je suis sa soeur.
— Enchanté de vous connaître, je suis sa mère!...

— Vous savez que les statistiques disent qu'un homme se fait frapper à toutes les cinq minutes à Montréal?
— Il ne doit pas être beau à voir, celui-là, à la fin de la journée!...

Une femme agonise. Appelé d'urgence, le médecin demande au mari:
— Ça fait longtemps qu'elle râle comme ça?
— Depuis qu'on est marié, docteur!...

Dans un petit village, on fête le centième anniversaire d'un vieillard:
— Félicitations, grand-père, et j'espère que l'an prochain je serai là pour fêter votre cent unième anniversaire.
Le vieillard le regarde attentivement et:
— Pourquoi pas? Tu m'as l'air en bonne santé!...

— Docteur, j'ai 50 ans, et j'aimerais savoir si je vais vivre centenaire comme mon frère...
— Est-ce que vous fumez, buvez, mangez beaucoup?
— Non, rien de ça...
— Sortez-vous beaucoup avec les femmes?
— Jamais.
— Alors, pourquoi voulez-vous vivre jusqu'à 100 ans?...

— Tu parles d'un drôle de médecin! Quand je lui ai dit que j'avais une fièvre de cheval, puis que je me sentais malade comme un chien, il m'a fait avoir une consultation avec un vétérinaire!...

Avez-vous vu comme il se passe des choses stupides avec les docteurs? T'appelles le docteur, puis il te donne rendez-vous dans un mois. Et quand vient le temps de ton rendez-vous et que tu vas le voir, il te demande pourquoi tu n'es pas venu le voir avant!...

Une jeune Japonaise en voyage au Canada va voir un gynécologue parce qu'elle ne peut avoir d'enfant. En arrivant chez le médecin, ce dernier lui demande de se déshabiller et de s'étendre sur la table. La Japonaise s'exécute un peu gênée, et soudain elle dit au médecin:
— D'accord, docteur, si c'est le seul moyen, mais je veux un bébé japonais!...

— Alors, Henri, tu es allé voir le docteur pour tes pertes de mémoire?
— Oui, j'en arrive.
— Et que t'a-t-il dit?
— Il m'a demandé de le payer d'avance...!

La jeune fille sort du bureau du médecin en criant comme une folle. La garde demande alors au médecin:
— Que lui avez-vous fait, docteur?
— Rien, je lui ai simplement dit qu'elle était enceinte...
— C'est vrai?
— Non, mais ça lui a fait perdre très très vite son hoquet!...

Le docteur à sa cliente:
— Madame, vous êtes chanceuse, votre mari est sauvé.
— Mais c'est une catastrophe, que vais-je faire? J'ai vendu tous ses vêtements!...

Un médecin a reçu cette lettre:
  Docteur. Ma femme était tellement nerveuse depuis notre mariage, qu'elle ne pouvait supporter ma présence dans le lit conjugal. Mais dès les premiers tubes de comprimés, l'amélioration de son état a été plus qu'évidente. Maintenant, elle peut coucher avec n'importe qui!...

— Mon problème, docteur, est que je ne rêve que de baseball...
— Mais... vous ne rêvez jamais aux filles?
— Mais non, j'aurais peur de perdre mon tour au bâton!...

— Docteur, le patient de l'urgence qui a été piqué par des guêpes vient de se sauver...
— Que lui avez-vous fait?
— Rien, je lui ai simplement dit que vous alliez venir lui donner une piqûre...

— Mon pauvre monsieur, vous êtes tellement surmené que je me dois de vous interdire tout travail de la tête...
— Impossible, docteur, je suis coiffeur!...

— C'est formidable, mon cher monsieur, s'exclame le médecin, c'est la troisième fois que votre femme accouche de triplets! Comment vous y prenez-vous donc?
— Je... Je... Je n'en sais... sais... ri... ri... en... du... du tout... tout...!

Au cours d'une soirée, une jeune fille est vêtue d'une robe très très décolletée. Elle s'approche d'un médecin et lui demande:

— Dites-moi, cher docteur, permettez-moi de vous demander un conseil: j'ai un mauvais rhume, que dois-je faire?

— Rentrez chez vous, habillez-vous et couchez-vous!...

Enfants

— Dis, papa, qu'est-ce que c'est un homme?
— C'est simple, c'est quelqu'un qui est respecté de tout le monde et qui sait se faire obéir dans la maison.
— C'est comme maman, alors?...

Deux petits garçons discutent:
— Mon père est tellement économe qu'il a mis tous mes jouets de côté pour le moment où il retombera en enfance...

Paul à son ami Marc:
— Tu vois le lac là-bas? Il n'y a pas beaucoup d'eau...
— Qu'est-ce qui te fait dire ça?
— Regarde les canards, ils ont de l'eau jusqu'au ventre et ils peuvent tout de même marcher!

Pierre à son copain:
— Moi, je rêve de gagner 1000$ par semaine comme mon père...
— Wow! Ton père gagne 1000$ par semaine?
— Non, mais il rêve lui aussi...

En classe, le professeur questionne le petit Claude:
— À quoi sert la laine des moutons, Claude?
— Je ne sais pas, répond-il.
— Mais voyons, avec quoi sont fait tes vêtements?
— Avec les vieux habits de papa...

— Dis, maman, pourquoi les gens vont-ils au lit?
— Parce que le lit ne va pas à eux...

Lisa à sa mère:
— Dis, maman, qu'est-ce qu'elles font, les madames, pour avoir des manteaux de vison?
— La même chose que les mamans visons pour avoir des petits bébés visons...

— Dis, maman, je peux aller me baigner avec papa?
— Non, ma chérie, c'est trop profond…
— Mais pourquoi papa y peut, lui?
— C'est pas pareil, lui il est assuré!…

Au cirque:
— T'es chanceux, toi, de venir au cirque…
— Oui, et en plus avec le billet de mon frère.
— Pourquoi ton frère n'est-il pas venu? Il est malade?
— Non, il cherche son billet…

Coco a attrapé une vilaine grippe. Le médecin lui a donc recommandé du sirop et des cachets. Mais depuis une heure, Coco n'arrête pas de sautiller sur le trottoir, et une voisine demande à sa mère:
— Qu'est-ce qu'il a à sauter comme ça?
— Oh! ce doit être pour mélanger ses médicaments…

— Dis, maman, Dieu utilise-t-il notre toilette?
— Mais non! Pourquoi me demandes-tu ça?
— Parce que ce matin, papa a donné un gros coup de poing sur la porte des toilettes en criant: «Mon Dieu, t'es encore là!»

Trois petits frères ne veulent pas aller se coucher. Leur mère leur dit alors:
— Gilles, Richard, Yvon: couchez-vous et demain, celui qui aura fait le plus beau rêve aura du gâteau au chocolat…
Les trois enfants se mettent au lit. Le lendemain matin, ils se lèvent et vont voir leur mère.
— Moi, dit Yvon, j'ai rêvé que j'étais au ciel avec la sainte Vierge et les anges…
— Moi, dit Richard, j'ai rêvé que j'étais aussi au ciel, avec Jésus et les anges…
— Moi, de répliquer Gilles, quand j'ai vu que mes deux frères étaient partis au ciel, je me suis levé et j'ai mangé le gâteau au chocolat…

Le petit garçon voit un homme qui porte un monocle. Il n'avait jamais vu cela.
— Maman, je viens de voir un homme qui apprenait à porter des lunettes!
— Comment sais-tu qu'il apprenait à porter des lunettes?
— Parce qu'il a commencé par un seul oeil…

Deux amies se rencontrent:
— Comment va votre petit dernier?
— Très bien, il marche depuis six mois.
— Seigneur, il doit être rendu loin!...

Deux écoliers passent devant un panneau sur lequel on peut lire: «Lentement, zone scolaire».
— Tu te rends compte, ils croient tout de même pas qu'on va se rendre à l'école en courant!...

Une mère à son fils:
— Mange, mon chéri, fais comme si c'était du sable...

La petite fille voit une framboise pour la première fois:
— Oh! regarde, maman, une cerise qui a la chair de poule!...

Les newfies

Un couple de newfies décide d'adopter un bébé chinois. L'homme dit à sa femme:
— On n'aura pas le choix, ma chérie, il va falloir apprendre le chinois... Tu t'imagines, quand le petit commencera à parler, si nous ne le comprenons pas!...

À la radio, le lecteur de nouvelles newfies:
— La victime a été tuée de deux balles et d'un coup de feu...

Eh! tu portes un bas noir et un bas brun...
— Je le sais, j'en ai une autre paire comme ça à la maison...

Les deux newfies se promènent dans le désert, avec une porte d'automobile. Le premier dit au second:
— Quand tu auras trop chaud, dis-le-moi, je descendrai la vitre!...

— Combien faut-il de newfies pour faire du popcorn?
— Cinq newfies... Un qui tient le chaudron et quatre qui brassent le poêle...

Le newfie entre dans une boucherie et met 1,75$ sur le comptoir en disant au boucher:
— J'veux voir le show...
— Quel show?
— Celui annoncé dans la vitrine... «Partie de fesses pour 1,75$»...

Un newfie à un autre:
— As-tu réalisé que s'il n'y avait pas d'électricité, on serait pris pour regarder la télévision à la chandelle!...

Arrestation hier soir: un newfie qui voulait faire de la pêche sur glace a été arrêté par les policiers, au Forum...

Combien faut-il de newfies pour poser une lumière?
— Quatre... Un qui tient la lumière et trois qui tournent l'escabeau...

Le newfie voulait qu'après sa mort son corps retourne à la mer... Malheur dans la famille: ses deux fils sont morts noyés en creusant sa fosse en pleine mer...!

Le newfie embrasse passionnément sa blonde, alors qu'ils sont dans son automobile. Il lui demande soudainement:
— Veux-tu aller sur le siège arrière?
— Non, j'veux rester ici en avant, avec toi...

— Moi, je suis né à Terre-Neuve.
— Ah oui? Quelle partie?
— Mais au complet, voyons…

Un de mes amis a donné des skis nautiques
à un newfie. Eh bien! il a attendu tout l'été de voir des
pentes d'eau sur son lac…

Le newfie a fait venir un serrurier: il avait perdu la clé
de sa boîte de sardines!…

Deux newfies sont à la pêche. Soudain, l'un d'eux découvre qu'il y a un trou dans la chaloupe.
— Hé! Y a un trou! Qu'est-ce qu'on va faire?
— Énerve-toi pas, on va la garder pour aller à la pêche
sur la glace!…

Un newfie rencontre un autre newfie, qui pousse un énorme tonneau sur le trottoir.
— Où vas-tu avec ça?
— À l'hôpital… J'ai vu le médecin il y a un an et il m'a dit: «Revenez me voir dans 12 mois, et apportez vos urines…

Un newfie rencontre un ami:
— Tiens, t'as donc un belle voiture?
— Superbe, hein? C'est une dame qui me l'a donnée…
— Une dame t'a donné cette automobile?
— Oui. Je faisais de l'auto-stop, et elle m'a fait monter. Nous avons parlé un peu et tout à coup elle a arrêté la voiture, est descendue. Elle a enlevé sa robe et m'a dit: «Tout est à toi, prends ce que tu veux…» Alors j'ai pris la voiture… De toute façon, son linge ne me faisait pas…

Au chevet d'un mourant, un notaire écoute ses dernières volontés.
— Je veux… je veux, à mon enterrement, la… la fanfare de la ville…
— Et quel morceau voulez-vous entendre?…

Automobiles et transport

Quel est le comble de la vitesse?
Faire du 100 (sang) dans une zone d'hôpital...

Qui a eu la première voiture sport?
— Jésus. Le dimanche des rameaux, il est entré dans la ville en triomphe (Triumph)...

Il a été prouvé que la majorité des accidents de la route sont dus aux hommes, et ce dans une moyenne de 90%... En effet, quand ils sont en état d'ivresse ou fatigués, ils laissent conduire leur femme...

Après avoir renversé un piéton avec son automobile, l'homme stoppe son véhicule quelques pieds plus loin. Il ouvre sa portière et crie au piéton qui gît dans la rue, par terre:
— Faites donc attention à vous!
— Pourquoi, vous allez reculer?...

Un garagiste téléphone au médecin:
— Venez vite, docteur, ma femme s'est trompée et elle a bu une bouteille d'essence au lieu de boire sa bouteille de nectar, et elle court à toute vitesse!...
— Ne vous inquiétez pas, elle s'arrêtera lorsqu'elle n'aura plus d'essence!...

— Alors, hurle l'agent, vous n'avez pas vu le feu rouge, chère dame?
— Oh! monsieur l'agent, vous savez, quand on en a vu un, on les a tous vus...

— Dites-moi, monsieur l'agent, à quoi servent les feux verts, jaunes et rouges?
Le policier, croyant que l'homme se moque de lui, répond:
— Voyez-vous, la lumière verte, c'est pour faire passer les Irlandais, le rouge pour les Anglais...
— Sacrifice! Les Chinois n'ont pas grand temps!...

Un automobiliste frappe trois voitures et renverse deux piétons. Les policiers procèdent à une analyse de sang.
— Voilà, j'ai les résultats de votre analyse... Il y a très peu de sang dans votre alcool...

Un camionneur se présente au poste de police:
— Vous avez des vaches noires ici?
— Non.
— Des chevaux noirs?
— Non.
— Sans doute de gros chiens noirs?
— Non.
— Alors, j'ai écrasé le curé...

Sur l'autoroute, un automobiliste perd le contrôle de son véhicule et va s'écraser sur un poteau. Il est tué sur le coup. Lorsqu'il arrive devant saint Pierre, il lui demande:
— Qu'est-ce que je peux faire pour vous?
— Je voudrais voir saint Christophe, j'ai deux mots à lui dire...

Un automobiliste heurte un piéton qui s'apprêtait à traverser la route.

— Excusez-moi… ça fait 20 ans que je conduis et c'est la première fois que j'ai un accident…

— Ne vous en faites pas, moi aussi c'est la première fois et ça fait 45 ans que je marche…

La femme d'un homme d'affaires entre à la maison, l'air en peine:

— Excuse-moi, mon chéri… j'ai eu un petit accident avec la voiture…

— Que t'est-il arrivé?

— J'ai frappé un vélo…

— Combien de fois?…

— Mais, chéri, je t'avais demandé une voiture pour ma fête et tu m'offres un vison!

— Qu'est-ce que tu veux, ma chérie, ils n'ont pas encore réussi à faire de fausses voitures!…

Au garage:
— J'ai un problème avec l'aiguille de mon réservoir à essence... Quand elle indique à moitié, je ne sais s'il est à moitié plein ou à moitié vide...

Savez-vous pourquoi beaucoup de gens achètent des automobiles?

C'est parce qu'ils doivent payer comptant lorsqu'ils prennent l'autobus...

Un policier demande à un automobiliste de stopper son véhicule qui zigzaguait dangereusement sur la route. Il s'informe du motif de ces fantaisies:
— J'apprends à conduire, dit le chauffeur.
— Seul, sans instructeur.
— Eh oui, je suis des cours par correspondance!...

Pêcheurs, pêche et bateaux

J'ai un ami pêcheur qui aimait tellement la pêche qu'il a épousé une femme qui avait des vers...

Quel est le fruit que les poissons détestent le plus?
   La pêche!...

Un vieux matelot raconte ses souvenirs:
— La plus furieuse tempête au cours de laquelle j'ai failli perdre la vie se déchaîna au large des Philippines, en 1930... Tous les mâts du navire furent emportés et, finalement, le bateau sombra avec tout l'équipage.
— Et vous? demande quelqu'un.
— Moi? J'étais resté à la maison, j'étais malade...

Quel est le poisson le plus stupide?

La sardine, parce qu'elle s'enferme dans une boîte et laisse la clé dehors!..

Un ver à un autre ver:
— Qu'est-ce qui ne va pas?
— Ne m'en parle pas, je vais à la pêche demain!...

Un poisson à un autre poisson:
— Ça va mal, je ne me sens pas très bien...
— Prends un ver, ça va te remonter...

La seule fois où l'on entend un pêcheur dire la vérité, c'est lorsqu'il traite un autre pêcheur de menteur!...

— Moi, quand j'étais jeune, j'ai pêché un poisson de 60 pouces de long...

— Moi aussi il m'est arrivé quelque chose d'invraisemblable... J'ai pêché un fanal avec ma ligne et, en plus, quand je l'ai sorti de l'eau, il était allumé...

— Je ne te crois pas...

— O.K. raccourcit ton poisson et j'éteins mon fanal!...

Le poisson est sans doute l'animal qui grossit le plus vite au monde... surtout entre le moment où il est pris et celui où le pêcheur décrit sa capture!...

Loi, juge et police

— Allô, police? Ma belle-mère s'est pendue!
— L'avez-vous détachée?
— Non, elle respire encore un peu...

Un grand voleur comparaît devant le juge:
— Vous êtes accusé d'avoir ouvert le coffre-fort de la banque et d'avoir réussi à prendre tout l'argent qui s'y trouvait. Comment vous y êtes-vous pris?
— Je regrette, Votre Honneur, mais c'est 50$ la leçon...

Un détenu est mort, il avait 45 fractures du crâne... La police a déterminé qu'il s'agissait d'un suicide: il s'est pendu avec un élastique!...

Le prisonnier est condamné à la chaise électrique. En entrant dans la salle où est la chaise, il la regarde et s'écrie:
— C'est quoi, ce machin-là?
— Assis-toi dessus, on va te mettre au courant...

Deux amies se rencontrent:
— Dis-moi, comment va ton mari?
— Mon mari, il est merveilleux, il fait tout dans la maison. J'te dis, j'ai un mari en or!
— T'es vraiment chanceuse, le mien est en taule!...

Le juge au prisonnier:
— Qu'avez-vous pour votre défense?
— Je n'ai plus rien, on m'a enlevé mon revolver et mon couteau!...

Un petit garçon dit à sa mère:
— Maman, papa marche tout de travers sur le trottoir...
— Passe-moi une autre balle, je l'ai manqué!...

Le juge à l'accusé:

— Vous pouvez partir, vous êtes libre, vous êtes acquitté. Le tribunal ne retient pas contre vous l'accusation de bigamie. Vous pouvez aller retrouver votre femme.

— Laquelle, Votre Honneur?...

Un dur de dur comparaît devant le juge:

— Vous avez déjà reçu dix-huit condamnations diverses, et voilà que vous êtes accusé de vol qualifié, d'abus de confiance, de vandalisme...

— Excusez-moi, Votre Honneur, pourriez-vous parler moins fort? Ma belle-mère est dans la salle et je ne voudrais pas qu'elle ait une mauvaise opinion de moi!...

Un prisonnier est convoqué au bureau du directeur de la prison. Il va être libéré.

— Toutes nos excuses, monsieur, nous sommes navrés, mais on vous a gardé ici un mois de trop...

— Oh! ce n'est rien, mettez ça sur mon compte pour mes entrées à venir...

L'homme complète un formulaire pour une compagnie d'assurance. On lui demande, notamment, comment son père est mort. Il ne sait que répondre, car son paternel est mort pendu à la prison, reconnu coupable de meurtre. Il a soudainement un éclair de génie et inscrit: Père décédé en tombant d'une estrade lors d'une cérémonie publique...

En cour, devant le juge, une avocate très très laide déclare aux membres du jury et au juge:
— À vrai dire, je suis tellement certaine de son innocence que je suis prête à l'épouser lorsqu'il sera libéré...
— Dans ce cas, d'objecter l'accusé, je suis prêt à tout avouer...

Henri se meurt. Son associé, un important homme d'affaires, est à son chevet. Henri lui murmure:
Édouard... il faut que je te fasse des aveux... Il y a deux ans, c'est moi qui... qui ai vendu les plans secrets à un compétiteur pour 50 000$...
— Moi aussi j'ai un aveu à te faire... Le poison qui te tue, eh bien c'est moi!...

Le juge à un accusé:
— Pourquoi avez-vous volé cette automobile?
— Je pensais qu'elle n'avait plus de propriétaire.
— Comment ça?
— Elle était stationnée près d'un cimetière...

Le condamné à mort à son bourreau:
— Vous n'avez pas honte de faire ce métier-là?
— Que voulez-vous, faut bien vivre!...

En cour, la mère s'adresse au juge:
— Votre Honneur, je veux la garde de mon enfant. Cet enfant est à moi, je l'ai porté pendant neuf mois.
— Votre Honneur, de répliquer le père, quand vous mettez de l'argent dans une distributrice automatique et qu'il en sort une tablette de chocolat, à qui est la tablette? À la distributrice, ou à celui qui a mis l'argent?
— C'est bon, tranche le juge convaincu, l'enfant sera confié à son père...

Le chef de police vient d'apprendre que la mère de l'un de ses hommes est morte depuis quelques heures, et il ne sait comment annoncer la nouvelle à son policier. Tout à coup, il a une idée. Il convoque tous les policiers du poste et les fait mettre en ligne.

— Tous les policiers dont leur mère est décédée, faites un pas en avant... Constable Lebrun, avancez donc vous aussi!...

Un homme, au bord de la panique, téléphone aux policiers:

— Monsieur l'agent, je reçois des lettres de menaces!

— Et elles sont anonymes?

— Non, elles sont signées «Revenu Canada»...

Le juge à un accusé:

— Pourquoi vous a-t-on arrêté?

— À cause de la concurrence...

— La concurrence?

— Oui, j'imprimais les mêmes billets que le gouvernement!...

Un nouveau détenu fait son entrée à la prison. Il est reçu par le directeur.

— Ici, nous faisons tout pour que chaque détenu ne soit pas dépaysé. Aussi, chacun peut travailler, exercer le métier qu'il pratiquait à l'extérieur. Que faisiez-vous comme métier?

— J'étais serrurier!...

Le juge à un accusé:
— 100$ d'amende ou 30 jours…
— Je vais prendre les 30 jours, je ne digère pas les amandes!…

— Accusé, pour avoir tué cette femme, vous êtes condamné à 20 ans de travaux forcés…
— Votre Honneur, de répondre l'accusé, je vais y aller mais croyez-moi, je ne me forcerai pas du tout!…

— Je vous condamne à dix jours de prison, dit le juge à l'ivrogne.
— Je vous en supplie, Votre Honneur, faites-moi soigner… Voyez comme je tremble!
— Si vous tremblez, c'est parce que vous buvez trop…
— Oh non, monsieur le juge, je ne bois pratiquement pas… j'en renverse beaucoup trop!…

L'espace

Un martien part en voyage. Sa femme lui demande:
— Tu ne prends pas ta soucoupe?
— Non, je ne suis pas dans mon assiette...

Joe à son meilleur ami:
— Hier soir, je me serais cru dans l'espace!
— Comment ça?
— Ma femme était en colère... si tu avais vu les soucoupes passer de tous les côtés...

Un juge, en cour, demande à un témoin:
— Pourriez-vous me dire à quelle distance, la nuit, vous pouvez distinguer un objet?
 À une très grande distance.
— Comme quoi, par exemple?
— Comme de la terre à la lune...

C'est ça le progrès... Il y a 20 ans, la lune était une source d'inspiration pour les poètes et, dans quelques années, elle sera bêtement un nouvel aéroport...

Une petite fille dessine la fuite en Égypte. Elle la représente dans un vaisseau spatial. Marie, Joseph et l'Enfant Jésus sont à l'arrière, et devant, aux commandes, un drôle de personnage. Qui est-ce? lui demande-t-on.
— C'est Ponce-Pilote...

Un nouveau pilote en est à son premier vol. L'avion est en plein vol lorsque l'opérateur de la tour de contrôle lui demande:
— Pourriez-vous me signaler votre position?
— Je suis assis au devant de l'avion, près du copilote...!

Télé, showbiz

Un lavabo engorgé entend Charles Aznavour chanter à la radio…
— Tiens, encore un qui m'imite…

Pierre se présente pour une entrevue pour un emploi dans un poste de radio. Le patron semble satisfait de ses expériences antérieures, et lui précise qu'il aime les gens positifs.
— Êtes-vous ambitieux?
— Oui!
— Êtes-vous entreprenant?
— Oui!
— Décidé et ambitieux?
— Oui!
— Buvez-vous au travail et êtes-vous porté à voler des disques?
— Non, mais je peux apprendre!…

— Comment reconnaît-on un acteur vraiment modeste?
— Lorsqu'il emmène sa petite amie voir un film dans lequel il ne joue pas!

Une vedette, c'est une personne qui fait des pieds et des mains pour se faire connaître et qui, lorsqu'elle a atteint son but, se cache sous des verres fumés pour ne pas être reconnue!...

— La devise des imprésarios?
— Un pour tout, tous pour un, et 20 pour cent!...

— Quelle différence y a-t-il entre un tireur de poignet et un pianiste?
— Une main!...

— Pourquoi as-tu encouragé ta femme à jouer de la clarinette plutôt que du piano?
— Parce qu'elle ne peut chanter en jouant de la clarinette!...

— Quelles sont les plus grandes difficultés rencontrées par une personne qui commence à jouer du piano?
— Payer ses leçons!...

Les freins d'une automobile sont comme les producteurs pour un comédien... On sait qu'ils sont là, mais on doute qu'ils soient efficaces...

— Quel est le chanteur préféré des caissières?
— Johnny Cash!

— Le chanteur des amoureux?
— Gilbert Bécot!...

Quel est le chanteur des bouchers?
— Bobby Hachey!...

— La comédienne préférée des constructeurs de maisons?
— Brigitte Bardeau!...

Un bijoutier est en voie de faire fortune. Au rythme où les stars se marient et divorcent, il ne vend plus mais loue les alliances!...

Religion, église

En Afrique, un missionnaire se trouve face à face avec
un lion. Le pêtre n'est pas armé et, désespéré, il se jette
à genoux et prie Dieu à voix basse. Tout à coup, il lève
les yeux, et se rend compte que le lion est à genoux
devant lui.
— Un miracle, c'est un miracle, vous priez avec moi…
s'écrie le prêtre.
Et le lion de répondre:
— Ne me dérangez pas s'il vous plaît… avant les repas,
j'ai l'habitude de réciter mon bénédicité…

Quatre femmes arrivent au ciel et se présentent devant
saint Pierre.
— Que celles qui ont trompé leur mari s'en aillent au
purgatoire…
Trois d'entre elles se dirigent vers le lieu indiqué. Saint
Pierre regarde l'autre et lui crie:
— Hé! Vous aussi, la sourde, allez-y!…

Un couple va chez le curé pour se marier.
— Voulez-vous un grand mariage ou un petit?
— On va commencer par se marier, le petit, ce sera par la suite...

L'homme à son ami:
— Avant de me marier, j'avais dit que j'étais athée, que je ne croyais pas à l'enfer... Maintenant, après un an de mariage, j'peux te dire que j'ai changé d'avis, l'enfer existe!...

Deux curés se rencontrent:
— Mon église est tellement grande que je dois faire faire la quête par des gens à vélo...
— Moi, ma nouvelle église est beaucoup plus grande... Deux jeunes sont venus se marier dernièrement et lorsqu'ils sont sortis de l'église, un autre prêtre les attendait pour faire baptiser leur nouveau-né!...

Jonas est dans une île qui sera inondée d'une minute à l'autre. Tout le monde fuit, mais Jonas refuse de quitter les lieux. Alors qu'il a de l'eau jusqu'aux chevilles, un bateau arrive pour le sauver, mais il refuse de monter. Il dit au capitaine:

— J'ai la foi, le Seigneur me sauvera...

— Puis, il eut de l'eau jusqu'aux épaules. Un hélicoptère vint au-dessus de lui pour le sauver, mais il refusa en disant:

— Dieu me sauvera, j'ai la foi...

— Ce qui devait arriver arriva... Il eut de l'eau par-dessus la tête et mourut noyé. Arrivé au ciel, il se rendit voir le Seigneur:

— Eh! Seigneur, qu'est-ce que tu as fait? Tu n'es pas venu me sauver?

— Écoute, Jonas, qu'est-ce que tu voulais que je fasse de plus... Je t'ai envoyé un bateau et un hélicoptère! Que voulais-tu de plus?...

Paul, à confesse:

— Mon père, je m'accuse d'avoir fraudé l'impôt.

— Et de beaucoup?

— Voyons, mon père, je suis ici pour me confesser, pas pour me vanter!...

Voici une liste des aumôniers les plus connus:
L'aumônier des buveurs de café…le père-Colateur
L'aumônier des terrains de jeux…l'abbé-Lançoir
L'aumônier des pharmaciens…le père-Oxyde
L'aumônier des enfants…l'abbé-Belle
L'aumônier des payeurs de taxes…le père-Cepteur
L'aumônier des obèses…l'abbé-Daine
L'aumônier des musiciens…l'abbé-Molle
L'aumônier des joueurs de hockey…l'abbé-Vitrée

À la messe du dimanche, le curé demande à ses paroissiens:

— Que feriez-vous si on vous apprenait que demain matin, vous, les fidèles de cette paroisse, alliez mourir?

Tous les hommes, femmes et enfants se regardent, inquiets. Seul, au centre de l'église, un homme rit à gorge déployée… Le curé le regarde et lui demande:

— Pourquoi riez-vous tant que ça? Ce n'est pas drôle du tout… Une telle nouvelle ne devrait pas vous réjouir…

— J'm'en fous, j'suis pas d'la paroisse, je suis juste de passage!…

Le pilote d'un avion comptant plus de 500 passagers à son bord découvre avec stupeur que tous les moteurs sont en panne, et que l'appareil va s'écraser en plein océan. Tout le monde prie, sauf un homme qui continue de lire. Un curé le regarde et lui dit:

— Vous ne priez pas, mon fils?

— Non, je ne suis pas catholique...

— Mais faites quelque chose de catholique, tout de même!

— D'accord, j'vais faire une quête...!

Saviez-vous que lorsque Jésus est descendu sur terre, il est arrivé à dos de chat? Eh oui, c'était écrit dans l'Évangile: Jésus est descendu par minou!...

Un veuf se présente au presbytère et demande au curé de faire chanter une messe pour sa femme décédée il y a un mois. En guise de paiement, il donne un extincteur chimique au curé.

— Mais, mon fils, ce n'est pas avec de telles choses que l'on paie, mais avec de l'argent...

— Sachez, monsieur le curé, que là où est ma femme, elle a bien plus besoin de mon extincteur que d'argent...

La mère du petit Paul reçoit son ami en cachette, à la maison. Tout à coup, Paul entre dans la chambre et s'écrie:
— Y fait bien noir ici!...
— Tiens, voilà 25 sous, et va jouer dehors, dit l'homme.

Le lendemain matin, le petit Paul va à confesse. En entrant dans le confessionnal, il s'exclame:
— Y fait bien noir ici!...
Et le curé de répliquer:
— Oh non, pas encore toi!...

Le professeur demande à ses élèves:
— Donnez-moi les sept sacrements...
Et un élève de répondre:
— Impossible, mon grand-père a reçu les deux derniers hier soir...

Un jeune homme dont le père vient de mourir se présente devant le curé. Sa famille se limite maintenant à une seule soeur. Il est sans le sou et est bien embarrassé lorsque le curé lui demande qui va payer la cérémonie de l'enterrement.
— Et ta soeur, a-t-elle de l'argent? Que fait-elle?
— Elle est chez les soeurs, dans un couvent.
— Mais c'est merveilleux! Tu devrais être heureux, elle est mariée avec Dieu!
— Dans ce cas-là, pour les frais de l'enterrement, collectez donc mon beau-frère!...

Dans un petit village où tout le monde se connaît, un homme va à confesse et s'accuse d'avoir péché avec une dame du village. Le curé lui demande:
— Est-ce Mme Gratton?
— Non.
— Mme Tremblay?
— Non, mais continuez à m'en nommer, je vais avoir une saprée bonne liste!...

Métiers

Au début du siècle, alors que les familles nombreuses étaient courantes, une sage-femme annonçait ses services ainsi:

Accouchement: 25$
Abonnement: 5 pour 100$...

Deux agriculteurs discutent:
— Vos granges n'ont pas trop souffert de la dure tempête de la nuit dernière?
— Je ne sais pas, je ne les ai pas encore retrouvées!...

Chez l'antiquaire:
— Dites-moi, monsieur, je suis venu acheter un set de chambre antique style Louis XIV. Mais j'ai un problème: le lit est trop petit. Pourrais-je changer pour un Louis XV?...

C'est bien fini le temps où l'on construisait des maisons avec de grands appartements. Aujourd'hui, tu engraisses de 25 livres et tu n'as que deux solutions: maigrir ou déménager!...

L'agent d'assurances est chez son client:
— Mais dites-moi, je suis bien assuré chez vous pour le feu?
— Mais oui...
— Vous payez bien pour tout ce qui brûle?
— Parfaitement.
— Alors, combien payez-vous pour des brûlements d'estomac?...

À l'école de conduite:
— Ça fait combien de fois, ma chère dame, que vous échouez votre examen pratique?
— Demain, ça fera la cinquième fois...

Il y a toute une différence entre un avocat et une poulie…
La poulie, plus tu la graisses, moins elle crie…
L'avocat, plus tu le graisses, plus il crie…

Un enfant dessine la Sainte Famille. On y voit Joseph, Marie et Jésus, ainsi qu'une autre femme.
— Qui est cette femme?
— C'est la gardienne qui gardait Jésus quand Marie et Joseph sortaient…

À la banque:
— Je voudrais retirer 500$.
— Mais, madame, vous avez un compte conjoint avec votre mari, et je remarque qu'il n'y a que votre signature…
— Dans ce cas, donnez-moi ma moitié, 250$.

Le barman à un client:

— Moi, en tant que barman, je n'ai jamais vu une personne hypocrite comme mon beau-frère. Il est tellement hypocrite qu'il boit de l'eau et se fait faire des cubes de glace avec du whisky!...

Confidence d'un berger:

— J'aime bien mon métier de berger, mais je n'ai jamais pu arriver à savoir combien j'ai de moutons dans mon troupeau... Je m'endors toujours avant d'avoir fini de les compter...

Chez le boucher:

— Je voudrais quelque chose sans nerf, sans os, et sans le moindre gras.

— Vous voulez un oeuf?...

La bibliothécaire à son patron:

— Monsieur le directeur, j'ai le regret de vous annoncer que je dois laisser ma place...

— Mais pourquoi?

— Mon médecin m'a ordonné de suivre une diète et il veut que je perde plusieurs livres...

À la buanderie, deux femmes discutent:
— Tu sais, j'ai découvert une blanchisserie extraordinaire. J'avais envoyé trois chemises à laver, et elles sont revenues de la buanderie absolument blanches, mais blanches! C'est merveilleux, d'autant plus qu'elles étaient bleues à rayures!...

Une grande firme française de soutiens-gorge, particulièrement rembourrés, s'est lancée à l'assaut du marché avec un slogan: «Méfiez-vous des imitations!»

— Nous sommes sur le chemin de la fortune, annonce un boulanger à sa femme. Je viens d'inventer un sandwich au cactus... En même temps qu'on le mange, il nous cure les dents!...

Un grand économiste disait:
La récession, c'est quand vous devez vous serrer la ceinture...
La dépression, c'est quand vous n'avez plus de ceinture à serrer...
Et quand vous n'avez plus de pantalon, c'est la panique!...

Deux voisins discutent:
— Pourquoi avez-vous prénommé votre fils Tarcicius Tarcis?
— Je veux qu'il devienne champion de boxe et avec un tel prénom, il ne manquera sûrement pas d'occasions pour s'entraîner à l'école!...

Au marché, une cliente regarde avec admiration une caissière marquer les prix à une vitesse folle. Elle lui demande:
— Vous inscrivez réellement les prix marqués, ou vous y allez à l'oreille?...

L'homme d'affaires discute avec son futur employé:
— Ce que je veux, en fait, c'est un chauffeur qui ne prend aucun risque.
— Parfait, monsieur, je suis votre homme. Puis-je avoir ma paie une semaine d'avance?...

Qu'est-ce qu'un chef d'entreprise?
— C'est le genre de personne qui vous pose une question, répond à votre place, et vous accuse ensuite de parler à tort et à travers!...

Un chirurgien débutant considère que sa première opération est une réussite totale si la veuve de l'opéré paie sans discuter...

Annonce parue dans un grand quotidien:
«Cirque cherche un homme canon. Doit aimer voyager...»

Un homme entre chez le coiffeur et demande:
— Je voudrais un flacon de lotion capillaire qui fait pousser les cheveux.
— Un gros ou un petit?
— Un petit, c'est pour les cheveux en brosse...

Le diététicien à un ami:
— Finalement, pour maigrir, c'est tout simple: on mange à volonté ce que l'on aime pas!...

Un industriel confie à un ami:
— Je n'arrivais plus à joindre les deux bouts, alors j'ai décidé d'engager un comptable qui va enfin me libérer de tous mes tracas.
— Mais comment feras-tu pour le payer?
— Oh! à présent, c'est à lui de se préoccuper de cela, plus à moi!…

Une dame téléphone à l'électricien:
— Que se passe-t-il avec vous? Je vous ai demandé de venir réparer ma sonnette hier matin…
— Mais j'y suis allé!
— Voyons, ne me dites pas cela, je n'ai pas bougé de chez moi de la journée pour vous attendre.
— Mais je suis allé chez vous, j'ai même sonné désespérément pendant près de dix minutes!…

Un étudiant au secondaire entre en classe et on lui remet un long formulaire à compléter. À la case «Nom des parents», après réflexion, il inscrit: «Papa et maman»…

Un petit garçon est catégorique:
— Moi, quand je serai grand, je veux devenir agent de police. Comme ça, je pourrai jouer au milieu de la rue sans me faire chicaner...

Le soir de la dernière cène:
— Judas appelle le maître d'hôtel et lui dit:
— S'il vous plaît, faites des factures séparées...

Voyages et voyageurs

Lors d'une réunion d'anciens élèves, deux hommes discutent:
— Tu te souviens de Dupont? Il vient de m'envoyer une lettre d'Asie.
— Tiens, c'est drôle, j'ai reçu une lettre moi aussi, mais elle venait d'Afrique.
— Ça ne me surprend pas de lui, il avait toujours zéro en géographie!...

C'est fou ce que les hôtels font faire comme style de serviettes... J'en ai vu une à un hôtel, la semaine dernière, qui était tellement épaisse que j'ai eu de la difficulté à fermer ma valise!...

Pauline à Jeanne:
— Je viens de recevoir une lettre de mon ami André qui est au Sahara. Il fait tellement sec là-bas que le timbre sur la lettre était attaché avec une épingle!...

Le meilleur moyen de revenir de Las Vegas avec une petite fortune? Y aller avec une grosse fortune...

Un bateau ayant coulé en plein océan, six hommes prennent place dans une chaloupe, et vont à la dérive sur les eaux. Malheureusement, il n'y a rien à manger, et ils commencent à avoir très très faim. Le capitaine, conscient de ses devoirs, décide de se suicider pour que les autres puissent survivre. Il applique un revolver contre sa tempe et s'apprête à tirer, lorsqu'un des hommes s'écrie:
— Ah non! Pas la cervelle, c'est le meilleur morceau!...

À la suite d'une forte tempête, les trains et les autobus avaient un retard considérable. Les automobiles embourbées étaient abandonnées, les gens cherchaient refuge n'importe où. L'un des automobilistes envoya un télégramme à son patron:
«Ne serai pas à mon poste aujourd'hui. Pas encore arrivé hier chez moi»...

Un gars arrête un taxi sur le coin de la rue:
— T'en vas-tu dans l'ouest?
— Oui.
— Eh bien! tu salueras les cowboys pour moi!...

Un homme se présente au guichet de la compagnie d'autobus et demande un billet pour Berthier.
— Vous désirez un billet pour aller à Berthier?
— Non, un billet pour mon fils, Berthier...

— Quelle est la longueur de la peur?
— Onze pouces...

Un nain rencontre un de ses anciens amis, nain lui aussi:
— Tiens, ça fait une mèche!
— Je ne croyais jamais te revoir!
— Fait croire que le monde est bien petit!...

Un voyageur de commerce revient de voyage très enrhumé.

— Mais qu'est-ce que tu as? lui demande sa femme.

— Figure-toi que lors de mon voyage en train, il y avait une fenêtre qui fermait mal, et j'ai pris froid...

— Mais tu aurais dû changer de place avec quelqu'un d'autre!

— C'était impossible, j'étais seul dans le wagon...!

Animaux

— Comment appelle-t-on le père d'un pou?
— Un pou-pa...!

Dans un arbre, deux oiseaux, un mâle et une femelle, se caressent. Soudain, le mâle regarde la petite femelle et lui dit:
— O.K. maintenant, fous-toi à plumes...!

Dernièrement, on a croisé un kangourou et une vache... Le résultat? Depuis ce temps, on peut avoir du lait en sac...!

Des savants ont croisé un tigre et un perroquet. Je ne sais pas ce que ça donne, mais quand ça parle, t'écoutes!...

Le boeuf au hibou:
— T'es chanceux, toi, ta femme est chouette. Moi, la mienne est vache!...

Un maman mite s'adresse à son petit:
— Si tu ne manges pas tout ton repas, tu n'auras pas ton chausson pour dessert...

On a récemment croisé un serpent et un porc-épic... Cela a donné 20 pieds de fils barbelés...

Un fermier possédant un élevage de poules assez impressionnant avait inscrit sur une réclame:
Chère clientèle. Ici, 10 000 employées travaillent pour vous jour et nuit...

Deux requins aperçoivent, au fond de l'eau, un scaphan-
drier:
— Tiens, dit l'un, encore des conserves!...

Le jeune serpent arrive de l'école, et maman serpent lui
demande:
— Qu'as-tu fait aujourd'hui en classe?
— J'ai appris à écrire, j'ai fait une page de beaux «A»
(Boa)...

La girafe s'est mouillée les pieds samedi dernier. Hier,
une semaine après, elle s'est réveillée avec un rhume de
cerveau...

Deux mille pattes se promènent, bras dessus, bras dessous, bras dessus, bras dessous, bras dessus, bras dessous,
bras dessus, bras dessous...

Deux moustiques sont sur le bras de Robinson Crusoé:
— Je file, mais on pourrait peut-être se revoir un de ces jours...
— D'accord, à Vendredi...

Un zèbre se promène près du champ où sont les chevaux, tout près du cirque. Une jument s'approche du zèbre et dit:
— Ne sois pas timide, il n'y a personne, tu peux enlever ton pyjama!...

Un cultivateur a perdu les cinq doigts de la main droite. Curieux, il avait mis sa main dans la gueule de son cheval pour savoir combien il avait de dents. Mais, curieux lui aussi, le cheval a fermé la gueule pour savoir combien de doigts avait le cultivateur...!

En sortant de la basse-cour par un matin particulièrement frisquet, la petite poule murmure:
— Brrr..., il fait un froid de canard!
— Je vous crois, réplique le canard, j'en ai la chair de poule...!

Le fermier transporte de l'engrais chimique dans son camion. Un touriste l'arrête et lui demande:
— Qu'est-ce que vous transportez qui sent si mauvais?
— C'est de l'engrais chimique pour mettre sur mes fraises.
— Si je peux vous donner un conseil, mettez donc du sucre sur vos fraises, ce sera bien meilleur...!

Salons funéraires et morts

Annonce parue dans un journal:
«Salon mortuaire à vendre, pour cause de mortalité..»

Dernièrement, le chauffeur d'un autobus a perdu le contrôle de son véhicule et est entré à toute vitesse dans un salon funéraire. Bilan: six morts blessés…

Deux amis ivrognes, inséparables, se paient du bon temps ensemble. Mais un jour, le plus vieux des deux mourut. Peu de temps après, l'autre le suivit. Le deuxième ivrogne retrouve son copain au cimetière, alors qu'il est enterré à ses côtés. Il cogne à sa tombe et lui demande:
— Comment est-ce, ici?
— Comme sur la terre, un ver n'attend pas l'autre…!

— Oui, c'est bien la compagnie d'assurances pour le feu? J'aimerais savoir quand vous allez m'envoyer la prime pour la mort de mon mari...
— C'est le feu qui l'a emporté?
— Oui, il a été incinéré...!

Deux hauts dignitaires se rencontrent:
— Cher ami, sachez que je suis profondément peiné de voir que vous avez dû enterrer votre tendre épouse...
— Que voulez-vous, j'étais bien obligé, elle était morte...!

— Quand prendrez-vous vos vacances, monsieur le directeur du salon funéraire?
— Lorsque j'aurai une période morte...!

Définition de la mort: un manque de savoir-vivre...

Toto à un de ses amis:
— J'ai un de mes amis qui était bien soûl et qui, par erreur, a bu une pinte de vernis...
— Il est sûrement mort?
— Oui, mais t'aurais dû voir le beau fini qu'il avait...

Madame, je tiens à vous prévenir que votre mari souffre de troubles cardiaques très importants et qu'à la moindre peur, il pourrait en mourir...
 L'épouse entre par la suite dans la chambre et:
— Coucou, chéri, c'est moi et le croque-mort...

Au salon funéraire:
— Comment se fait-il que ton mari soit si bronzé, lui qui était toujours si pâle?
— C'est qu'il est mort en Floride et, avant de le ramener ici, je l'ai fait exposer là-bas quelques jours, pour ses amis de Miami Beach...

111

Mon frère a un emploi sérieux: il a dix mille personnes sous ses pieds!... Il tond le gazon dans un cimetière...

Une poursuite a été intentée en cour contre un salon funéraire qui avait pris le même slogan que Loto-Québec: «Un jour, ce sera ton tour»...

Un restaurateur, dont l'établissement était situé juste en face d'un salon funéraire, avait comme slogan: «Ici, on est mieux qu'en face...»
Le propriétaire du salon funéraire décida de répliquer avec la réclame suivante: «Tous ceux qui sont ici viennent d'en face...!»

La pauvre dame, dont le mari est décédé, veut faire paraître un avis de décès dans le journal:
— Combien cela me coûtera-t-il?
— 3,50$ du pouce...
— Ça me coûte déjà une fortune de le faire enterrer, et voilà que je vais encore devoir débourser un gros montant pour l'annonce. À 3,50$ du pouce, ça n'a pas de sens: mon mari mesurait plus de six pieds...

Écriteau à la porte du salon funéraire newfie:
«Le salon est fermé de midi à deux heures, et le soir de cinq à sept heures, afin de permettre aux morts d'aller casser la croûte»...

N'essayez jamais de tuer une coiffeuse: vous ne pourrez jamais la teindre...

— Comment nommes-tu deux squelettes qui parlent ensemble?
— Des os-parleurs...

Restaurants, nourriture

— Dites-moi mademoiselle, qu'est-ce que c'est votre soupe du jour?
— De la soupe à l'alphabet, monsieur. Je vous en apporte une?
— Non, je ne sais pas lire...

Le propriétaire d'un restaurant réunit ses serveuses:
— Mesdemoiselles, je vous demanderais d'ouvrir votre décolleté un peu plus et d'être plus gentilles avec la clientèle...
— Attendons-nous une personnalité importante? demande l'une d'elles.
— Non, c'est simplement que le chef a raté son plat...

— Pourquoi les Esquimaux ne mangent-ils pas de fèves au lard?
— Parce qu'ils ont peur de péter «au frette»...

— Moi, je mange au restaurant parce que ma femme ne veut pas faire la cuisine...
— Moi, je mange au restaurant parce que ma femme s'obstine à faire la cuisine...

— Garçon, que pouvez-vous me conseiller pour 10$?
— Allez donc dans un autre restaurant...

Au restaurant:
— Mademoiselle, y a une mouche dans ma soupe...
— Un instant, monsieur, je vous apporte un couteau et une fourchette...

— Ma chérie, je t'invite au restaurant, mais je t'avertis: à 25$ on rentre...

— Mademoiselle, deux oeufs s'il vous plaît...
— Comment les voulez-vous?
— Un à côté de l'autre...

Annonce au bas d'un menu dans un restaurant:
«Les ustensiles ne sont pas comme vos médicaments...
Après les repas, vous n'êtes pas obligé de les prendre...»

Dans un restaurant, au bas du menu:
«Ne mettez pas la cendre de vos cigarettes dans les tasses,
car on devra vous servir votre café dans le cendrier...»

Au restaurant:
— Mademoiselle, vous avez une cuisine extraordinaire,
et qui est très propre en plus...
— Comment pouvez-vous dire ça, vous n'avez même
pas vu notre cuisine...
— C'est simple, tout goûte le savon...

— Monsieur, de dire la serveuse, vous avez renversé votre café sur vous!
— Non, mademoiselle, il est trop faible, il tombe...

Un homme s'aperçoit qu'il prend de l'âge lorsqu'il porte plus d'attention au menu qu'aux serveuses...

Je suis allé manger dans un restaurant hier, et les prix étaient tellement élevés qu'on a plus intérêt à surveiller ce que l'on a dans son assiette que son imperméable sur le crochet...

Dans un grand restaurant:
— Mademoiselle, je voudrais un sandwich robot.
— Un sandwich robot?
— Oui, un sandwich automate...

— Qu'avez-vous comme plat principal aujourd'hui?
— Des langues de boeuf marinées.
— Je regrette, mademoiselle, mais je ne mange rien qui vient de la bouche d'un animal...
— D'accord... Monsieur veut peut-être des oeufs...

Dans un restaurant, le client est exaspéré d'attendre d'être servi. Il s'approche de la caisse où se trouve le patron:
— Monsieur, c'est vous le patron?
— Oui, que puis-je faire pour vous?
— J'aimerais changer de table, je voudrais une table plus près des serveuses...

— Mademoiselle, je voudrais des rôties, sur un seul côté.
— Bien, monsieur.
Et la serveuse revient quelques minutes plus tard avec les rôties.
— Mais, mademoiselle, elles sont rôties sur le mauvais côté!
— Donnez, je vais vous les changer...
— Laissez faire, mademoiselle, je suis pressé... je vais les manger à l'envers...

118

— Pour vous, monsieur?
— Un spaghetti... Ce sera long?
— Non, environ 12 pouces...

— Garçon, j'hésite entre le navarin, le boeuf bourguignon et la blanquette de veau... Que me conseillez-vous?
— Revenez demain, et demandez le hachis parmentier: vous y retrouverez les trois...

— Monsieur, dit la serveuse, vous êtes comme le café de la maison: vous me tapez sur les nerfs!...

Elle à sa mère:
— Mon mari est très distrait... Hier, après le dîner, il m'a laissé un dollar de pourboire, et il m'a ensuite donné un autre dollar quand je lui ai remis son chapeau...
— C'est probablement l'habitude de dîner très souvent au restaurant...
— Peut-être, mais ce qui m'a inquiété le plus, c'est lorsque je l'ai aidé à mettre son manteau. Il m'a laissé 5$, après m'avoir embrassée et pincé les fesses...

Affiche devant un restaurant italien:
«Avez-vous déjà lutté avec notre spaghetti?»

Un client vraiment poli, c'est celui qui, avant d'ouvrir une huître, prend le temps de frapper à la coquille...

La serveuse apporte un plat, contenant deux magnifiques soles: une grosse et une petite. Elle place le plat sur la table:
— Sers-toi, fait l'homme à son ami.
Le second prend alors la plus grosse sole et laisse la plus petite dans l'assiette.
— Ce que tu peux être impoli!
— Pourquoi, parce que j'ai pris la grosse sole?
— Parfaitement...
— Qu'aurais-tu fait, toi, à ma place?
— J'aurais pris la petite.
— Eh bien! tu l'as, de quoi te plains-tu?...

Fous et asiles

Entendant dire qu'il y aurait prochainement une grève des postes, un homme s'est rendu au bureau de poste pour y faire une provision de timbres...

Un fou passe la tête par-dessus le mur de l'asile et crie à un passant:
— Hé, vous êtes nombreux là-dedans?...

— D'après une enquête, il y aurait deux fois plus d'hommes que de femmes dans les asiles... On sait maintenant qui rend l'autre fou...

J'ai acheté une collection de cassettes pour m'aider à arrêter de fumer. Je les écoute durant mon sommeil.
— Et puis, est-ce que ça marche?
— Eh oui, je n'ai pas encore fumé une seule cigarette en dormant!...

Deux patients se sauvent de l'asile en bicyclettes. Rendus à une certaine distance, l'un des deux arrête et se met à dessouffler ses pneus...
— Pourquoi fais-tu ça?
— J'étais trop haut, j'ai le vertige!

L'autre fou enlève alors ses poignées et son siège, puis pose le siège à la place des poignées et les poignées à la place du siège...
— Que fais-tu là? demande l'autre.
— T'es trop fou, je m'en retourne!...

Le patient entre dans le bureau du psychiatre:
— Pour qui vous prenez-vous, aujourd'hui?
— Pour le grand Moïse...
— Et qui vous a dit ça?
— C'est le Bon Dieu lui-même...
Au même moment, la porte du bureau s'ouvre et un autre patient s'écrie:
— Je n'ai jamais dit ça!...

— Salut, Joe!
— Salut, Arthur!
— Mais... je ne suis pas Joe!
— Et moi... je ne suis pas Arthur!
— Tu parles au diable... c'est pas nous autres!...

Quand un mécanicien va voir son psychiatre en quittant le garage, se couche-t-il sur le divan, ou en dessous?...

Chez le psychiatre:
— Si je viens vous voir, docteur, c'est parce que lorsque je dors la nuit, je fais: Tic-tac-tic-tac-tic-tac-tic-tac...
— Et cela vous dérange?
— En fait, non...
— Mais pourquoi venez-vous donc me voir?
— Parce qu'à toutes les heures, je fais: Ding-dong-ding-dong, et ça me réveille...!

Pourquoi les fous ne jouent-ils pas aux quilles? Parce qu'ils ont perdu la boule!...

Les femmes se disent prêtes à faire tous les métiers que les hommes font, mais il me semble que je ne vois pas une femme psychiatre assise durant des heures, sans dire un mot, et laissant les autres parler...

— J'aimerais avoir un lit de fou...
— Un lit de fou?
— Oui, un lit pas de tête!...

Il y a toute une différence entre un fou et un psychiatre...
Le fou se fait et habite des châteaux en Espagne, tandis que le psychiatre collecte les loyers...

Il est bien mauvais pour un homme de garder trop de choses pour lui-même... Les psychiatres s'entendent tous sur cette question... et le ministère des Finances aussi!...

Une dame de 350 livres se confie à son psychiatre:
— Docteur, j'ai peur de tout... J'ai tellement peur de tout, que j'en arrive même à avoir peur de mon ombre!...
— Moi aussi, j'aurais peur de mon ombre, si j'avais votre taille...!

Sports

Une jolie fille vient d'épouser un champion de boxe. Après la nuit de noces, elle rencontre une amie:
— Alors, cette nuit de noces?
— Pas terrible, il a jeté la serviette au troisième round!…

Afin de chasser l'ennui, en enfer, les démons proposent aux anges une partie de hockey.
— Voyons, vous savez bien que tous les bons joueurs de hockey sont au ciel…
— Oui, mais où sont les arbitres?…

— Tu sais quel steak préfèrent les boxeurs?
— Euh…
— Du steak dans la ronde…

— Pourquoi les deux équipes, au baseball, changent-elles de place?

— C'est simple: quand elle a trois hommes de morts, l'équipe qui est au bâton s'en va au champ, etc...

— Mais comment peuvent-ils avoir trois hommes de morts: ils jouent avec des balles blanches...

Deux joueurs de hockey s'interrogent:

— Penses-tu qu'il y a du hockey au ciel?

— Je ne sais pas... On peut faire une chose: le premier qui meurt, s'il va au ciel, viendra avertir l'autre...

Le mois suivant, l'un des deux meurt et va au ciel. Une semaine après sa mort, le joueur de hockey apparaît à son ami et lui dit:

— Enfin, j'ai pu me libérer pour te renseigner... J'ai deux nouvelles, une bonne et une mauvaise. La bonne, c'est qu'il y a bien du hockey au ciel, mais la mauvaise... c'est toi qui seras le gardien de but la semaine prochaine...!

— Pourquoi, au baseball, les receveurs placent-ils leur casquette la palette par en arrière?

— Pour avoir la palette sur le même sens que les autres joueurs de leur équipe...

127

La femme regarde une partie de football pour la première fois avec son mari, à la télé. Soudain, elle se précipite sur le téléphone et appelle le réparateur de télé:
— Venez vite, mon appareil est défectueux... Mon image est toute déformée: le ballon est ovale...

La différence entre un sportif amateur et professionnel? L'amateur, lui, travaille en plus...

Paul capte un énorme saumon de plusieurs livres. Arrivant chez lui, il s'empresse de faire venir son voisin pour lui montrer sa capture.
— Et tu as pris ça tout seul?
— Non, j'ai eu l'aide d'un petit ver...

— Pourquoi ne joues-tu pas au hockey ce soir?
— Je ne sais pas ce que j'ai, je ne vois que des points noirs...
— As-tu déjà vu un optométriste?
— Non, seulement que des points noirs...

— Dis, Léo, as-tu été chanceux aux courses hier soir?
— Tu parles, si j'ai été chanceux! En sortant de la piste, j'ai trouvé un dollar par terre, et ça m'a permis d'acheter un billet d'autobus pour rentrer à la maison...

Musique et musiciens

Un petit garçon s'en va prendre ses leçons de piano:
— Tu t'es bien lavé les mains?
— Oui, maman.
— Et les oreilles aussi?
— Oui, maman. Enfin... celle du côté du professeur...

On dit que ce n'est pas facile de jouer de l'accordéon...
Moi, je prétends que toute personne peut jouer si elle sait
comment plier une carte routière...

Définition d'un piano par un Africain:
«Animal avec généralement peau noire très dure. A quatre
pattes et a aussi une grande bouche avec beaucoup de
dents noires et blanches. Et quand on lui ouvre la bouche
et qu'on lui frappe sur les dents, il se met à crier...

Un enfant dit à son ami:
— Cette trompette, que m'a donnée mon oncle, est sûrement le plus beau cadeau que j'aie jamais reçu...
— Tu aimes tant que ça jouer de cet instrument?
— Non, mais mon père me donne un dollar par jour pour que je n'en joue pas...

Dans un concours télévisé:
— Dites-moi, madame, pour 500$, pourriez-vous me nommer trois instruments à cordes?
— Oh! mon Dieu... Oh! mon Dieu...
— Pensez-y bien, madame, et nommez-moi trois instruments à cordes, pour la jolie somme de 500$.
— Ça y est, je l'ai: le fer à repasser, la balayeuse et le malaxeur...!

À l'école

— Mademoiselle, plus tard, je veux me marier...
— Ah oui? Et avec qui?
— Avec ma grand-mère que j'aime beaucoup.
— Mais tu ne peux pas... C'est la mère de ton père.
— Pourquoi est-ce que je ne peux pas marier la mère de mon père? Il a bien marié ma mère, lui?...

Le professeur a donné à ses élèves une rédaction à faire sur les animaux.
— Pourquoi, Paul et Marcel, avez-vous la même rédaction? Qui a copié sur l'autre?
— On n'a pas copié l'un sur l'autre, de dire Paul, c'est simplement qu'on a le même chat...

Le professeur de religion demande à ses élèves:

— Pourquoi demandons-nous tous les jours au Bon Dieu notre pain quotidien?

— Moi je le sais, c'est pour que l'on ait chaque jour du pain frais...

Paul ne peut s'empêcher de tutoyer son professeur, Mademoiselle Lise. Sévère et n'aimant pas cette façon d'agir, elle lui donne à copier cinquante fois «Je ne dois pas tutoyer mon professeur.» Le lendemain, Paul présente sa copie à son professeur, mais cette dernière remarque que Paul a copié la phrase cent fois plutôt que cinquante...

— Pourquoi cent fois?

— C'est simple, c'était pour te faire plaisir...

— C'est à peine croyable, Pierre... Vous êtes ici en classe et vous ne savez rien... absolument rien!

— Mais c'est pour ça que mes parents m'envoient en classe, monsieur!...

133

En classe:
— Dis-moi, Pierre, que représente ce dessin?
— Des vaches dans un pré, monsieur.
— Mais où est le pré?
— Mais les vaches l'ont mangé...
— Mais alors, où sont les vaches?
— C'est tout normal qu'elles ne soient plus là... Dites-moi ce que feraient les vaches dans un endroit où il n'y a plus de pré?...

L'institutrice demande à un élève qui semble dans la lune:
— Tremblay, nommez-moi deux pronoms...
— Qui? Moi?
— C'est très bien... Je n'aurais jamais cru que vous suiviez mon cours...

Deux professeurs de science:
— Les enfants sont terribles de nos jours. Je n'arrive même plus à leur faire croire que les petits choux naissent dans les grands choux!...

— Plus tard, moi je veux être mathématicienne, dit Lise à son professeur.
— Et qu'études-tu présentement?
— Les fractions.
— Mais, quel âge as-tu?
— Onze ans et trois quarts...

— C'est vrai, papa, que mes notes de l'examen méritent une bonne correction... Je vais te donner le numéro de téléphone de mon professeur...

— Dites-moi, chers élèves, pouvez-vous me représenter le mot «rien»?
— Oui, mademoiselle, fait un écolier.
— Et comment?
— Comme un ballon dont on enlèverait le tour...

— Voyons, dit l'instituteur, ne te trouble pas, mon petit Paul... 1 et 1 font 2, 2 et 2 font 4, 4 et 4 font 8... Alors, dis-moi combien font 8 et 8?
— Ce n'est pas juste, sanglote l'élève, vous gardez toujours les réponses faciles pour vous...

L'élève à ses parents:

— On s'est bien amusé ce matin, au cours de chimie... J'ai confectionné une bombe et je l'ai mise dans le tiroir du professeur...

— J'espère, de dire la mère, que tu iras le dire à ton professeur ce midi, quand tu arriveras à l'école?...

— Quelle école?...

Maurice à son père:

— Ça y est papa, j'ai remis ta lettre à mon professeur. Il l'a lue et il est d'accord pour me donner des cours particuliers de mathématiques... Il m'a aussi dit que tu pourrais aller le voir pour des cours d'orthographe...

— Mes petits élèves, donnez-moi un exemple d'heureux mélange entre le monde végétal et le monde animal...

— Je sais, un boeuf aux légumes!...

Le professeur à Pierre:

— Supposons que tu mets la main dans ton pantalon et que tu trouves dans ta poche droite 3,50$. Puis dans ta poche gauche, tu y trouves 2,75$... Qu'as-tu?

— Le pantalon de mon grand frère...

Une maman écrit à l'institutrice:
«Mon fils Pierre étant un peu grippé, j'ai jugé préférable
de le garder à la maison aujourd'hui. Je me réjouis pour
vous de cette journée de tranquillité...»

Le maîtresse interroge le petit Claude:
— Qu'y a-t-il au-dessus de une once?
— Deux onces, mademoiselle.
— Parfait. Et si je double?
— Quatre onces.
— Et si je multiplie par dix?
— Quarante onces.
— Et au-dessus de quarante onces?
— Le bouchon...

En maternelle:
— Et n'oubliez pas, mes petits amis: si vous avez envie
d'aller au petit coin, levez la main.
— Je n'aurais jamais pensé qu'on pouvait faire ça comme
ça, de dire Paul à Claude...

À l'école, la seule chose que les élèves usent plus rapidement que leurs chaussures, c'est sans aucune doute la patience des professeurs…

— Quelle est l'épouse idéale?
— C'est sans aucun doute la maîtresse d'école, car elle est la seule qui sait se taire après avoir posé une question pour laisser répondre l'autre…

Un professeur de physique questionne:
— Qui peut me dire ce qui se passe lorsque l'eau se change en glace?
— C'est le moment de mettre des patins pour ne pas glisser!…

— Je te donne 16 bonbons et te demande de les partager entre toi et ton petit frère. Combien en aurez-vous chacun?
— Lui 4, et moi 12…
— Mais voyons, tu ne sais pas compter?
— Moi oui, mademoiselle, mais mon petit frère ne sait pas…

— Écoute bien, Paul. Tu as quinze pommes, et tu dois les partager entre toi et trois de tes amis. Que feras-tu?
— C'est simple, monsieur le professeur. Je ferais de la compote et je donnerai à chacun une part égale...

Pêle-mêle

Tous les lièvres courent en zig-zag, mais les plus malins sont sûrement ceux qui courent dans les zig lorsque les chasseurs tirent dans les zag...

— Il y a trois oiseaux sur une branche. J'en tire un, combien en reste-t-il?
— Deux, il en reste deux.
— Non, il n'en reste aucun... Les deux autres ont eu peur et se sont sauvés...

— Pourquoi chassez-vous avec un permis de l'année dernière?
— Parce que j'essaie de rattraper le lièvre qui m'a échappé l'an passé...

Deux chasseurs maladroits, qui ont raté tous les coups de la journée, sont de plus en plus découragés. L'un d'eux dit:
— Il est cinq heures. On en rate encore trois et puis on s'en va...

Le juge à un chauffeur:
— À voir le nombre de personnes que vous avez tuées, on croirait que vous n'avez pas de permis de conduire mais bien un permis de chasse!...

Dans l'ascenseur:
— À quel étage désirez-vous monter?
— Le plus haut possible, c'est pour un suicide...

Au Congo:
— Il y a longtemps que vous chassez l'éléphant?
— Depuis 20 ans.
— Vous avez toujours chassé l'éléphant?
— Non, au début, je chassais les papillons, mais ma vue a baissé...

Un homme en état d'ébriété essaie d'entrer chez lui:
— Que faites-vous là, monsieur?
— J'essaie de rentrer chez moi, mais la clé ne fait pas!
— Ce n'est pas une clé que vous avez dans les mains, mais une cigarette!
— Ça parle au maudit: j'ai fumé ma clé!...

L'épouse à son mari:
— Chéri, j'ai l'impression que tu ne m'écoutes pas...
— Mais si, je t'écoute!
— Non, tu bâilles!
— C'est bien la preuve que je t'écoute!...

Dans le bureau du directeur d'un cirque, on passe des auditions. Un homme entre avec une énorme pierre et une énorme valise, qui sont dans une brouette qu'il pousse.
— Voici mon numéro: je mets en équilibre sur ma tête cette grosse pierre, et ma partenaire, à l'aide d'une grosse masse, me casse la pierre sur la tête.
— C'est extraordinaire, dit le directeur. Mais qu'avez-vous donc dans cette grosse valise?
— Des aspirines... des aspirines...

142

Un homme entre en trombe dans un bar:
— Vite, s'il vous plaît, un double cognac, une femme vient de se faire renverser dans la rue...
Le barman s'exécute rapidement, et le gars enfile le verre d'un seul trait.
— Vous savez, je ne peux pas supporter de voir souffrir les gens...

Le vendeur à une cliente:
— Madame, j'ai ici un livre qui vous intéressera sûrement. Il s'intitule «500 excuses pour ne pas entrer à l'heure».
— Et pourquoi pensez-vous que ce livre m'intéressera?
— Simplement parce que je viens d'en vendre un exemplaire à votre mari...

Une dame écrit à un courrier du coeur:
— À chacun de nos rendez-vous, je retrouve mon ami toujours mal rasé. Que me conseillez-vous?
Réponse: «Essayez d'arriver à l'heure!»

Deux soldats sont devant une réclame contre l'alcool:
«N'oubliez pas que l'alcool dégrade...»
— On s'en fout, on n'est que des simples soldats, pas
des gradés...

Lors d'une réception:
— Vous désirez des olives, ma chère?
— Seulement des noires, je suis en deuil...

— Tu connais l'histoire de la femme photographe?
— Non.
— Moi non plus, elle n'est pas développée...

— Où vas-tu Henri?
— Je vais arroser le jardin.
— Tu n'y penses pas, il pleut à boire debout!
— C'est pas grave, je vais mettre mon imperméable...

Pierre à René:
— Hier, j'ai fait un drôle de rêve, un rêve qui s'est transformé en cauchemar... J'ai rêvé que j'étais dans une île déserte avec Farrah Fawcett, Raquel Welch et Brigitte Bardot!
— C'est pas un cauchemar, ça!
— Bien oui, parce que moi aussi j'étais une femme...

Un commis voyageur dit à sa femme qui est enceinte:
— Je vais être parti pour un mois; alors, quand tu accoucheras, pour me le faire savoir, envoie-moi un télégramme disant que la choucroute est arrivée...
Une semaine se passe, puis l'homme reçoit le télégramme comme convenu. Il lit:
«Trois choucroutes d'arrivées, dont deux avec saucisses...»

Une phrase avec trois mots de langues différentes.
«Amen ton lunch»...

— Pourrais-je avoir une boîte de six pouces de large et de 150 pieds de long?... Je déménage et je veux emporter ma corde à linge...

La vieille dame promène un petit bébé dans un carrosse:
— Ne pleure pas, mon petit diplôme...
— Pourquoi l'appelez-vous diplôme, ce bébé?
— Parce que ma fille est allée à l'université, et c'est le seul diplôme qu'elle a ramené à la maison...

Dernièrement, on a croisé un pigeon et un pique-bois... Résultat: quand le pigeon va livrer le courrier, il frappe à la porte...

— Comment a été ta nuit de noces avec ton vieux de 80 ans?
— Imagine-toi, moi une fille de 25 ans, je suis exténuée... Il m'avait dit qu'il économisait depuis 35 ans, mais moi, je croyais qu'il parlait d'argent...!

Le jeune homme est reconnu coupable d'avoir tué son père et sa mère. Avant de prononcer sa sentence, le juge lui demande s'il a une déclaration à faire:
— De grâce, Votre Honneur, soyez indulgent… je suis orphelin…

À la sortie de l'église, une vieille fille croise un manchot qui lui demande la charité:
— Tiens, mais c'est vous qui étiez aveugle et qui m'avez demandé la charité la semaine dernière… Vous voilà manchot, maintenant?…
— Eh oui! ma p'tite dame… Croyez-le ou non, mais j'ai retrouvé la vue cette semaine et ça m'a tellement fait un choc que les bras m'en sont tombés…

Savez-vous pourquoi les newfies enterrent leurs morts les fesses en l'air? Pour en faire des «racks» à bicycles…

Ernest s'approche de ses parents, au cours d'une grande soirée:
— Maman, j'aurais une histoire à te raconter.
— Vas-y, mon petit Ernest, lui dit un invité.
— Rien... Rien...
— C'est ça ton histoire... rien?
— Oui c'est ça, rien...
— C'est pas une histoire, ça, de lui dire sa mère...
— Bien oui, de répliquer Ernest. Ce matin, j'ai entendu papa qui disait à la bonne:
— Toujours rien?
— Rien, rien...
— Tu parles d'une histoire!...

— Chéri, lève-toi, le bébé pleure.
— Chérie, écoute, on l'a fait à deux cet enfant, il est autant à toi qu'à moi...
— D'accord... alors lève-toi consoler ta moitié et laisse la mienne pleurer...!

À confesse:
Le curé est sourd...
— J'ai fait de gros péchés, mon père.
— Parle haut!...
— Non, par le bas...

Hier soir, un couple d'amoureux bavardait sous ma fenê-
tre, et je ne pouvais dormir...
— Qu'as-tu fait? lui demande son ami.
— Je suis allé chercher une chaudière d'eau que je leur
ai versée dans le dos.
— Bien fait pour eux!
— Mais attends la suite... Cinq minutes après, j'ai vu
ma femme rentrer toute trempée...

— Pourquoi n'y a-t-il qu'une douche au ciel?
— Parce qu'il n'y a qu'un saint François de Salle...

Le petit Paul annonce tout fier à la voisine:
— Maman a fait une petite soeur!
— Voyons, mon chéri, tu dois dire maman a acheté une
petite soeur...
— Vous ne connaissez pas ma mère, jamais elle n'achè-
terait quelque chose qu'elle peut faire elle-même...

La scène se passe au ciel. Saint Pierre accueille les nouveaux venus:
— Vous avez déjà trompé votre femme?
— Jamais.
— Tenez, voilà les clés, vous pouvez vous promener avec la Cadillac que vous voyez là-bas.
Un autre homme se présente:
— Et vous, avez-vous déjà trompé votre femme?
— Une fois.
— Très bien, prenez la bicyclette et promenez-vous.
Un troisième homme arrive:
— Et vous?
— Je l'ai trompée toutes les fois que j'en ai eu la chance...
— Tenez, voilà des patins à roulettes, allez vous promener...
    Un peu plus tard, saint Pierre fait sa ronde dans le ciel et aperçoit sur le bord de la route le type de la Cadillac, qui est assis et qui pleure.
— Qu'avez-vous, mon ami?
— Je viens de voir passer ma femme en patins à roulettes!...

En classe:
— Dites-moi, mademoiselle, que veut dire le mot «papa»?
— Papa est le titre que l'on donne aux hommes qui, généralement, ne croient pas au contrôle des naissances...!

— Docteur, ma femme est vraiment insupportable... À la maison, elle ne me parle que de son premier mari...
— Ne vous en faites pas, à l'avenir, parlez-lui de votre prochaine femme...

Au zoo:
— Dis, ma chérie, tu veux des cacahuètes?
— Oh non! j'ai bien trop peur d'engraisser!
— Tu crois?
— Regarde les éléphants!...

Moi, quand je serai grand, dit le petit Pierre, je veux être pompier... C'est un travail où il y a de l'avancement... On ne reste pas longtemps au bas de l'échelle...

— Vous êtes bon photographe?
— Assez, oui.
— Vous pouvez poser tout ce que vous voulez avec votre appareil?
— Oui, tout.
— Alors j'ai du travail pour vous. La semaine prochaine, pourriez-vous venir chez moi?
— Oui, pourquoi?
— Pour poser mes fenêtres doubles...

151

Dans la vitrine d'un boucher:
«Vous avez perdu aux courses? Vengez-vous, mangez du cheval!»

— Vous avez passé une bonne nuit?
— Je ne sais pas, je dormais…!

Le patron à un employé:
— Il y a trois jours que vous ne vous êtes pas rasé.
— Mais, patron, je veux me laisser pousser la barbe…
— D'accord, c'est votre droit, mais faites-le donc en dehors de vos heures de travail!…

— Pourquoi pleures-tu, mon petit?
— À cause de mes rhumatismes…
— Toi, à ton âge tu en as?
— Non, pas moi… C'est simplement le mot que j'ai mal écrit dans ma dictée en classe…

Annonce parue dans un journal:
«Nos lecteurs sont priés de noter que la chronique *Comment rester en bonne santé* ne paraîtra pas cette semaine, notre chroniqueur étant absent pour des raisons de santé…»

Un journaliste à un éminent chirurgien:
— À quel âge avez-vous réalisé votre première opération?
— À cinq ans… Je m'en souviens, c'était une addition…

Le client n'aime pas son café:
— Garçon, je vous ai demandé un café bien fort!
— C'est ce que je vous ai servi! Regardez, vous y avez à peine goûté que vous êtes déjà tout énervé…!

— J'ai perdu mon chien!
— Fais paraître une petite annonce dans le journal.
— Ça ne servirait à rien, il ne sait pas lire…

— Garçon, mettez-nous une bouteille de champagne au frais.
— Très bien, mais aux frais de qui?...

— Peux-tu appeler l'ascenseur pour moi?
— Je ne peux pas, je ne connais pas son nom...

Toute la famille est prête à déguster un succulent pique-nique, sauf un pêcheur qui ne veut pas manger:
— Je ne peux pas, il faut que je surveille ma ligne...

— Mon fils, il ne faut jamais remettre à demain ce que l'on peut faire le jour même...
— Tu as raison, maman, je vais tout de suite finir le gâteau que j'ai commencé...

— Quel est le comble pour une couturière bavarde?
— Perdre le fil de son discours...

— Votre frère, il bégaie toujours comme ça?
— Non, seulement quand il parle...

Un fou à l'autre:
— Pourquoi as-tu mis ta chaussette à l'envers?
— Parce qu'à l'endroit, elle avait un trou...

— Où est le centenaire de cette ville? demande un journaliste.
— Impossible de le voir ce soir, son père ne veut pas
qu'il sorte...

Paul vient de s'engager comme matelot et il regarde la
foule par le hublot. Soudain, un ami lui crie:
— Hé, Paul! Qu'est-ce que tu fais avec un bateau autour
du cou...

— Qu'est-ce que tu dessines, mon petit?
— Une automobile.
— Mais elle n'a pas de roues!
— Elles sont encore dans mon pot de peinture...

— Dis, maman, à quelle heure suis-je né?
— À deux heures du matin.
— Hé, dis donc, c'est bien la seule fois où je me suis levé si tôt...

En classe:
— Dis, mon petit Roger, que sais-tu sur la bombe atomique?
— Boum!...

— Quelle est la différence entre un chasseur et un champignon?
— Le champignon pousse, et le chasseur tire...

— Pourquoi les chevaux ne conduisent-ils plus les voitures qui transportent au cimetière les personnes décédées.
— Parce qu'on craint qu'ils prennent le mors aux dents...

— Comment appelle-t-on un ascenseur au Japon?
— En pesant sur le bouton...!

— Dis, maman, pourquoi la mariée est-elle en blanc?
— Parce que le blanc, c'est le symbole du bonheur.
— Alors pourquoi le marié est-il habillé en noir?...

— Oncle Henri, vite, il y a une souris dans la chaudière de lait!
— Tu l'as enlevée, j'espère?...
— Non, j'y ai mis le chat...

157

Un boxeur souffre d'insomnie. Il va trouver le médecin qui lui conseille:
— Essayez de compter tous les soirs, en vous couchant…
Un, deux, trois… Habituellement, c'est efficace.
Une semaine après, le boxeur retourne voir le médecin:
— Impossible de dormir, ça ne marche pas. Je compte comme vous me l'avez dit, mais à neuf… je me lève…

— Qui porte des gants?
— Un n'humain!…

Une loupe à une autre:
— Vous devriez suivre un régime, vous grossissez à vue d'oeil!…

Paul à son ami:
— Dis-moi, quel genre de femmes préfères-tu? Les bavardes ou les autres?
— Quelles autres?…

Au restaurant:
— Garçon, je voudrais un chausson aux pommes.
— Voilà, monsieur.
— Vous n'auriez pas plus grand, je chausse du dix...

Dans un casse-croûte:
— C'est un vol, donnez-moi tout l'argent de la caisse...
Très calme, la caissière lui répond:
— Est-ce pour emporter?

Un homme entre chez le fleuriste, arborant un magnifique oeil au beurre noir.
— Je voudrais une douzaine de roses, c'est pour l'anniversaire de ma femme.
— C'est aujourd'hui?
— Non, répond le client en se frottant l'oeil, c'était hier...

— Combien de paires de chaussures le Pape a-t-il?
— Saint-Père (cinq paires)...

Pierre à André:
— Savais-tu que ma femme parle trois langues?
— Tant mieux pour elle, la mienne n'en parle qu'une et je trouve déjà que c'est trop...

Un comédien vient de se marier. Le lendemain, il rencontre un de ses amis, un autre comédien:
— T'as bien l'air fatigué!
— Ne m'en parle pas, j'ai eu quatre rappels cette nuit...!

— Ma femme m'a quitté lorsque je lui ai dit que ses bas faisaient des plis...
— Ce n'était pas un drame!
— C'est qu'elle ne portait pas de bas...

— Dis, papa, je crois que j'ai tué un chat...
— Comment?
— Eh bien! je l'ai pris et je l'ai lavé...
— Tu ne savais pas que les chats détestaient l'eau?
— Mais ce n'est pas en le lavant qu'il est mort, c'est quand je l'ai fait sécher dans la sécheuse....

— Quel est le prénom de E.T.?
— Spag... E.T. (spaghetti)...

— Quel est le comble de la soif?
— Faire dix milles en canot pour aller boire un verre d'eau...

Un homme, nerveux au possible, se présente à la morgue:
— Vous n'auriez pas le corps de ma femme par hasard? Je suis inquiet, elle est partie en disant qu'elle allait se suicider...
— Est-ce qu'elle a un signe particulier?
— Oui, elle bégaie...

— Pourquoi les Américains ont-ils envoyé une femme avec les astronautes dans l'espace?
— Parce qu'un lave-vaisselle était beaucoup trop lourd...

161

Complétant un formulaire de demande d'emploi, à la question: célibataire, marié, divorcé, l'homme a répondu: «Les trois, dans l'ordre...»

— Savez-vous comment rendre un aveugle fou?
— Essayez de lui faire lire un mur de stuco...

— Comment nomme-t-on un chat transparent?
— Un chat-sis...

Sur la plage:
— Je regrette, mademoiselle, mais ici, sur cette plage, les deux pièces sont défendus...
— D'accord, mais laquelle des deux pièces dois-je enlever?...

— Qui a inventé le limbo?
— Un gars pressé qui voulait passer sous la porte d'une toilette payante...

Trois newfies décident de jouer à un jeu. Ils montent au cinquante et unième étage d'un édifice et lancent leur montre en bas. Le premier qui arrive en bas et qui réussit à attraper la montre avant qu'elle ne s'écrase est le gagnant. Le premier laisse tomber sa montre et descend à la course, mais c'est trop tard, la montre est brisée... Même chose pour le deuxième. Quant au troisième, il laisse tomber sa montre, et descend les escaliers bien tranquillement.
— Mais pourquoi ne te presses-tu pas? demande l'un des trois.
— C'est simple, j'ai tout mon temps, car j'ai reculé ma montre de deux heures...

Toto demande à Marguerite:
— Tu veux jouer au père et à la mère?
— D'accord. Tu fais la vaisselle et je regarde la télé...

Au marché:
— Combien vos oeufs?
— 2$ les frais, et 1,25$ les craqués.
— Pourriez-vous m'en craquer deux douzaines de frais?...

— Quelle est la différence entre une fille de bonne vie et une de mauvaise vie?
— Celle de bonne vie se lève le matin en disant: «Bonjour, Seigneur»... Et l'autre dit: «Seigneur, c'est le jour!»

Maman à Marie:
— Tu vas venir avec moi chez la voisine, mais, comme tu as remarqué, son petit bébé n'a pas d'oreilles. Alors maman aimerait que tu ne fasses pas de remarques, que tu n'en parles pas. D'accord?
— Bien, maman, je ne parlerais pas de ses oreilles, promis.
La mère et la fille arrivent donc chez la voisine.
— Comme votre petit bébé est beau! de dire Marie. Il a de beaux cheveux, un beau nez, une belle bouche et de très grands yeux. D'ailleurs, j'espère qu'il va toujours avoir de beaux yeux, car il ne pourra jamais porter de lunettes...

— Connais-tu l'histoire du fou qui disait toujours non?
— Non...

Maman, le professeur m'a traité de singe et de gorille...

— Viens avec moi, nous allons aller le voir...

— C'est vous le professeur qui avez traité mon petit garçon de singe?

— Mais non, madame, je n'ai pas dit ça. Je lui ai simplement dit que si la matière que je lui enseignais ne lui convenait pas, il n'avait qu'à changer de branche...

— Tu vois, maman, il recommence encore...

Les cannibales préfèrent faire de la soupe avec des prêtres. Pourquoi? Parce qu'un prêtre, sacerdoce (ça sert d'os)...

— De quelle main brasses-tu ton café?

— De la droite.

— Moi, je prends une cuillère, ça va mieux...

— Ça prend combien de pieds pour arrêter une voiture qui roule à 60 milles à l'heure?

— Un seul...

À la salle d'opération:
— Excusez-moi, docteur, si je tremble, c'est la première opération que je subis...
— Ne vous en faites pas, moi aussi c'est ma première et je tremble...

Ma femme attrape tellement souvent des contraventions, que le chef de police lui a donné un billet de saison...

Cette mère de famille trouve que la viande se vend tellement cher, qu'elle disait dernièrement à ses enfants:
— Si vous ne mangez pas tout votre dessert, vous n'aurez pas de viande...

Le fonctionnaire du gouvernement fédéral arrive chez lui:
— Je suis épuisé, on a eu du travail pour quatre au bureau... Heureusement que nous étions douze employés...

Paul à Claude:
— Où as-tu eu cet oeil au beurre noir?
— J'ai embrassé la mariée...
— Mais il n'y a rien de mal, c'est la coutume que d'embrasser la mariée!
— Oui, mais pas cinq ans après le mariage...

— Pourquoi les newfies, lorsqu'ils sont deux dans un lit, couchent-ils avec une carabine?
— Pour tirer les couvertures...

— Hé, Manon, tu portes un chandail d'homme?
— Qu'est-ce qui te fait dire ça?
— Y a un trou pour passer la tête...

À la cour:
— Votre Honneur, je voudrais changer de nom.
— Et comment désirez-vous vous appeler désormais?
— Neuf-Dix-Valet...
— Mais ce sont des noms de cartes à jouer!
— Et puis? Mon ami s'appelle bien Dame-As-Roi (Damase Roy)...!

Devant le juge:
— Votre Honneur, je voudrais changer de nom...
— Et comment voulez-vous vous appeler?
— R.E. C-9.
— Quoi! C'est pas un nom, ça...
— Comment, c'est pas un nom? Mon ami s'appelle bien
R.V. B-7 (Hervé Bessette)...

Deux newfies se promènent dans un cimetière lorsque
l'un d'eux dit:
— J'ai l'impression qu'il a dû y avoir une épidémie ici,
tout le monde est mort de la RIP...
— De la rip?
— Bien oui, c'est marqué sur toutes les pierres: ...
R.I.P...!

Au restaurant:
— Servez-vous des cornichons ici?
— Vous pouvez vous asseoir, on sert tout le monde...

— Je voudrais un Coke.
— Un verre?
— Non, un brun...

Le vieux cultivateur se promène en ville pour la première fois. Il passe sur une rue, tout en frappant le sol avec sa canne:
— Ils ont bien fait de construire des maisons ici, le terrain est très solide, dit-il en frappant encore une fois sur l'asphalte. C'est bien trop dur pour labourer...

Le premier ministre visite un institut psychiatrique. Le directeur a bien pris soin d'avertir les malades: «Quand vous verrez le premier ministre entrer, inclinez-vous devant lui.» Le premier ministre entre, tout le monde s'incline, sauf un homme qui ne bronche pas devant lui.
— Que se passe-t-il, pourquoi cet homme ne s'incline-t-il pas devant moi? demande le premier ministre.
Et le directeur de répondre:
— Il n'est pas fou, lui...

Annonce publicitaire entendue à la radio:
— Cette émission vous est présentée par les magasins de lingerie de base Georgette… Cette semaine, Georgette est fière de vous annoncer que ses bas-culottes sont baissés de moitié…

Elle à son mari:
— J'ai compris la différence entre les jambes de Sophia Loren et les miennes… Les miennes me font marcher et les siennes la font vivre…

Un cultivateur avait perdu sa meilleure vache. Il se mit à sa recherche et marcha des milles et des milles dans la campagne. Exténué, il décida de louer une chambre dans un hôtel. Il est couché sur son lit lorsqu'il entend soudain, venant de la chambre d'à côté, un homme dire à sa compagne:
— Chérie, tu as de si beaux yeux, que dans tes yeux je vois la verte campagne…
Le cultivateur s'approche du mur et crie alors:
— Dans la campagne que tu vois, regarde donc si tu ne vois pas ma vache…

Elle à une amie:
— J'ai été violée par un newfie...
— Comment le sais-tu?
— J'ai dû l'aider...!

— À quel endroit les femmes sont-elles les plus frisées?
— En Afrique...!

Le newfie a fait un don à la paroisse, mais il n'a pas signé son chèque: il voulait faire un don anonyme...

Nouvelle statistique qui vient d'être rendue publique: 50% des personnes qui se marient sont des femmes...

Au couvent, la mère supérieure s'adresse à trois jeunes soeurs— Si un homme voulait vous violer, que feriez-vous?

— Moi, dit la première, je me sauverais en criant...

— Moi, dit la deuxième, je ferais la même chose...

— Moi, dit la troisième, je m'approcherais de lui, je lui détacherais son pantalon... je relèverais ma robe à la taille et... je me sauverais en courant, car une femme qui a la robe relevée court plus vite qu'un homme les culottes baissées...

Scène de ménage:

— Si tu me trompes encore, je retourne chez ma mère...

— Si tu retournes chez ta mère, je retourne chez ma femme...

À la salle d'attente d'une salle d'accouchement:

— Ça ne pouvait pas plus mal tomber, juste pendant mes vacances...

— Et moi, juste durant la deuxième journée de mon voyage de noces...

Un enfant en larmes entre au dépanneur:
— Qu'as-tu, mon petit garçon?
— J'ai perdu mon argent, mon 50 cents pour acheter le journal…
— T'en fais pas, je vais te le donner pour ce matin, ton journal…
Mais le petit garçon attend toujours, après avoir eu son journal.
— Eh bien, qu'attends-tu?
— Mais mon change…

Un ambulancier appelle au poste de police le plus proche:
— Vite, il faut faire quelque chose, un fou dangereux vient de se sauver de mon véhicule…
— Qu'a-t-il l'air?
— Il est petit, gros, chauve et tout dépeigné…
— Quoi? Chauve et tout dépeigné?…
— Je vous l'ai dit, il est fou…

Papa demande à Claude:
— T'as de bonnes notes en classe?
— Bof… Elles sont glacées…
— Comment ça, glacées?
— Oui, elles sont en dessous de zéro…

— Vous allez à la chasse sans emporter de balles?
— Oui, ça coûte moins cher et le résultat est le même…

Trois hommes étaient affairés à réparer le toit d'une école.
Ils s'appelaient Fou, Personne et Rien...
Rien, qui était en haut de l'échelle, tomba. Personne dit
alors à Fou d'aller téléphoner et de demander une ambu-
lance...
— Monsieur? Personne m'a dit de téléphoner parce que
Rien est tombé de l'échelle...
L'ambulancier de lui répondre:
— Mais... êtes-vous fou?...
— Oui... comment l'avez-vous deviné?...

En classe:
— Mes petits élèves, faites-moi une phrase avec le mot
sucre...
— Le matin, à mon déjeuner, je prends un chocolat chaud
avec un pain et du beurre.
— Mais tu n'a rien compris, où est le sucre?
— Dans le chocolat chaud...

174

— Hier il m'est arrivé un accident de voiture, j'ai perdu une roue alors que je roulais à 100 milles à l'heure...
— Et tu ne t'es pas tué, pas blessé?
— Bien non, c'était ma roue de secours!...

Savez-vous l'histoire du newfie qui a inventé un siège éjectable pour son hélicoptère?
On l'a trouvé dans le champ, coupé en rondelles...

— Pourquoi travaillez-vous toute la nuit?
— Pour mettre mon travail à jour...

Pierre à Claude:
— Je veux divorcer, voilà 15 ans que ma femme me lance des objets. Je n'en peux plus, je divorce...
— Mais pourquoi as-tu attendu tant d'années?
— Avant, elle ne m'attrapait pas...

— Comment avez-vous crevé votre pneu, mon ami?
— En passant sur une bouteille de whisky…
— Mais vous ne l'aviez pas vue?
— Non, elle était dans la poche du malheureux que j'ai écrasé…

— Quel âge me donnez-vous?
— Aucune idée, madame…
— J'approche la quarantaine!
— Dans quelle direction?…

— Maman, Pierrot pleure depuis près de 15 minutes… Je crois qu'il a une pleurésie…

Un ouvrier est vraiment embarrassé: il doit annoncer à une femme que son mari, qui travaillait à la compagnie de gomme, est mort broyé dans la machine à gomme baloune…
— Dites-moi, madame, votre mari, c'est bien celui qui faisait des ronds de fumée avec son cigare et qui était très grand?
— Oui, c'est bien lui…
— Eh bien maintenant, il est tout petit, rose, et il fait des bulles…

176

Deux fous sont suspendus à une branche d'arbre, lorsque soudain, l'un d'eux se laisse tomber:
— T'es fatigué?
— Non, j'étais mûr...

En biologie, le professeur veut bien démontrer à ses jeunes élèves les dangers de l'alcool. Il prend un ver et, devant ses élèves, le trempe dans l'alcool. Le ver meurt subitement...
— Vous voyez ce que fait l'alcool, mes chers enfants?...
— Oui, monsieur le professeur... Quelqu'un qui en prend n'aura jamais de ver!...

— Peux-tu nommer cinq jours consécutifs de la semaine sans nommer mardi, mercredi et jeudi?...
— Avant-hier... hier... aujourd'hui... demain... après-demain...

Marie a la fâcheuse habitude de faire continuellement des grimaces. Sa grand-mère la surprend et lui dit:
— Tu sais, ma petite, quand j'avais ton âge, ma mère me disait que si je persistais à faire des grimaces, je serais affreuse plus tard...
— Et pourquoi tu ne l'as pas écoutée?...

— Maman, est-ce vrai que l'homme descend du singe, comme le dit papa?
— C'est fort possible... D'ailleurs, ton père s'est toujours refusé à me présenter sa famille...

En cour:
— Pour avoir commis un tel crime, dit le juge, vous ne devez pas avoir toute votre tête à vous...
— Vous avez raison, monsieur le juge... Quand j'étais petit, tout le monde se plaisait à dire que j'avais le front de mon père, le nez de ma mère, les joues de ma tante Lise...

Au restaurant:
— Et alors, garçon, cette crème renversée, ça vient?
— Oui, monsieur, ce ne sera pas long, on la ramasse...

— Comment appelle-t-on un pou sur une cloche?
— Un pou-ding…

— Comment nomme-t-on un pou qui est au ciel?
— Un pou-saint…

— Comment appelle-t-on un bébé pou?
— Un pou-pon…

— Comment appelle-t-on un pou très affreux?
— Un pou-laid…

— Monsieur le curé, c'est très mauvais de profiter des erreurs des gens, n'est-ce pas?
— Oh oui! c'est très méchant, mon fils…
— Alors, remettez-moi donc les 200$ que vous m'avez chargés l'an passé, pour célébrer mon mariage…

Chez le médecin:

— Et puis, monsieur Tremblay, avez-vous pris votre petit verre de cognac tous les matins comme je vous l'ai recommandé il y a six mois?

— Oh oui! docteur, même que je suis en avance de deux mois!...

— As-tu déjà vu la maison de Stevie Wonder?
— Non.
— Lui non plus!...

Un chômeur cherche du travail et se présente chez un cultivateur:

— Combien payez-vous, monsieur?

— Pour ce que vous faites... Autrement dit, je paie pour ce que vous valez...

— Je regrette, mais je ne travaille pas pour rien...

— Chéri, demande la femme à son mari, je me demande bien comment nous pourrions célébrer nos noces d'argent!...
— En gardant une minute de silence!...

Quelles sont les femmes les plus fidèles? Les brunes, les blondes ou les rousses?
Ce sont les grises...

Quelle est la différence entre une vache et un bébé?
La vache, tu lui donnes de l'eau et elle te donne du lait...
Le bébé, lui, tu lui donnes du lait et il te donne de l'eau...

Le brigadier scolaire est sur le coin de la rue, à attendre les enfants, lorsqu'une dame s'approche de lui:
— Attendez-vous un enfant?
— Non madame, j'ai toujours été gros comme ça...

Quelle est la différence entre l'amitié et l'amour?
Le même qu'entre un coussin et un oreiller...

La femme d'un patron visite son époux et aperçoit une lettre sur le bureau de sa secrétaire. Curieuse, elle l'ouvre, profitant du fait qu'il n'y a personne dans le bureau. Elle lit rapidement, et constate qu'il y a un nombre incalculable de fautes d'orthographe...
Lorsque son mari fait son apparition, elle lui dit:
— Ta secrétaire, ce doit être une bien belle fille!...

Quelle est la différence entre un newfie et un cancer?
Le cancer, lui, il évolue...

Quelle est la différence entre un Martini et une femme?
Les deux sont semblables... Un, c'est pas assez, et deux, c'est trop...

— Que fait la femme de Stevie Wonder lorsqu'elle est en colère après lui?
— Elle change les meubles de place...

Pourquoi les hommes lèvent-ils leur chapeau lorsqu'ils voient une femme?
Pour leur montrer ce que c'est qu'une tête!...

La secrétaire à son patron:
— Patron, j'ai trouvé une nouvelle position.
— Venez dans mon bureau, on va l'essayer...

Le comble de la malchance?
Se faire écraser par une roue de fortune...

— Quel est l'animal qui marche sur la tête?
— Le pou...

Au paradis:
— J'espère que tu m'aimes vraiment...
— Tu sais bien, Ève, qu'il n'y a que toi... Compte-moi les côtes, si tu veux...

— Docteur, mon mari se prend pour une antenne de télé...
— Ce n'est pas très grave, madame, je peux le guérir.
— Je ne veux pas que vous le guérissiez, mais que vous l'ajustiez pour que je capte le canal 10...

Au restaurant:
— Mademoiselle, je voudrais une orange Crush.
— Je suppose que vous la voulez avec une paille droite!...

Quelles sont les chaussures préférées des musiciens?
— Des chaussures FA-SI-LA-SI-RÉ (faciles à cirer)...!

Fais-moi une phrase avec Philippe...
Y a un oiseau sur un Phil...ippe, y va tomber!...

Paul voit une annonce où l'on demande un homme à tout faire. Il se présente chez la personne en question, qui est un cultivateur. Ce dernier lui demande:
— Êtes-vous bon pour labourer?
— Oui, monsieur.
— Êtes-vous bon pour les semences?
— Oui, monsieur.
— Êtes-vous bon pour les vaches?
— Je ne sais pas, mais je peux essayer, et si ça ne fait pas, vous vous achèterez un boeuf!...

Chez le médecin:
— Mon cher monsieur, j'ai ici le résultat de vos radiographies, et je constate que vous avez trois disques de la colonne vertébrale brisés... Après y avoir pensé longuement, nous avons décidé de vous enlever les trois disques, et de les remplacer par des cassettes...

Comment se nomme le type qui est seul dans une cage avec cinq lions affamés?
Yvon Lavallée!...

Ça prend combien de temps pour brasser la Miller?
1,000 heures...

Quel est le meilleur remède contre la grippe?
De l'eau... A-t-on déjà vu un poisson qui avait la grippe?

Comment appelle-t-on une mouche sur un boeuf?
Une beu-bitte...

Quelle est la couleur de la faiblesse?
Le vert... La preuve: regarde le dollar...

— Sais-tu pourquoi les personnes qui font de la plongée sous-marine plongent de dos lorsqu'elles sont dans une chaloupe?
— Non…
— Parce que si elles le faisaient par en avant, elles tomberaient dans la chaloupe…

Le patron à sa secrétaire:
— Mademoiselle, si j'accepte vos retards, allez-vous accepter mes avances?…

Au restaurant:
— Garçon, il n'y a pas d'huîtres dans ma crème aux huîtres…
— C'est parfaitement normal, monsieur… Avez-vous déjà vu des anges dans un gâteau aux anges?…

La plus belle étape pour un père de famille, c'est lorsque ses enfants sont assez grands pour pelleter l'entrée du garage, et trop jeunes pour prendre l'auto…

Petite annonce:
«Encyclopédie à vendre, n'a jamais servi… P.S.: ma femme sait tout!…

Durant son sermon, le curé dit à ses paroissiens:
— Mes bien chers frères, vous ne devez jamais faire en privé ce que vous ne feriez pas en public…
À ces mots, un jeune garçon regarde sa mère et s'écrie:
— Hourra! Je n'aurai plus jamais à prendre mon bain!…

Le newfie s'est cassé la jambe en ramassant ses feuilles cet automne… Il est tombé en bas de l'arbre…

L'ingénieur newfie a été congédié… Il avait fait construire un pont le long de la rivière…

Chez le dentiste:
— Docteur, enlevez-moi cette grosse dent sans la geler.
— Pourquoi, sans la geler?
— Il y a assez longtemps qu'elle me fait souffrir que maintenant c'est à son tour de souffrir...

Un gars ivre-mort prend son verre à l'envers, sans s'en rendre compte:
— Tiens, ils ne font plus de trou sur les verres!...
Il le retourne de l'autre côté et:
— Ah ben, et plus de fond aussi!...

— Docteur, j'ai un problème: mon mari ne cesse de parler la nuit, en dormant. Que fois-je faire?
— C'est bien simple, madame, laissez-le parler le jour!...

L'homme s'apprête à prendre le départ de sa ronde de golf lorsque en frappant son premier coup, il rate la balle et frappe sa femme. Cette dernière tombe dans les pommes et, tout énervé, l'homme s'empresse d'aller téléphoner à un docteur:
— Vite, vite, docteur, j'ai frappé ma femme au terrain de golf, à mon coup de départ!
— Avec un bois 3?...

Chez le dentiste:
— Vous savez, docteur, j'aimerais autant avoir un enfant plutôt que de me faire arracher une dent...
— Décidez-vous, madame, moi je vais placer ma chaise en conséquence...

Lettre d'une téléspectatrice à Claude...
Cher Claude,
Je t'écris pour te faire savoir que je suis une téléspectatrice qui déteste les hommes. Pourquoi?
1 - Parce qu'ils m'emmènent partout avec eux, au bar, à la discothèque, au restaurant, en voiture, dans la salle de bains et même au lit...
2 - Ils me caressent de leurs doigts rugueux, et parfois sales... Ils me pressent de leurs lèvres à m'en faire perdre le souffle, m'enlèvent toute vie après s'être assouvis et m'avoir prise pour leur désir... Après avoir obtenu de moi ce qu'ils veulent, ils m'abandonnent... Pourquoi prennent-ils toujours avantage de mon jeune corps frêle et blanc? Pourquoi défoulent-ils leur passion sur moi?
Voilà pourquoi je t'écris, pour te démontrer ma haine envers les hommes...

Une cigarette frustrée...

En classe:
— Dis-moi, Pierrot, quelle est d'après toi la définition de la guillotine?
— C'est un sujet qui fait perdre la tête à bien du monde...

Pourquoi les newfies ont-ils peur d'assister à une partie de hockey au Forum de Montréal?
Parce qu'ils ont peur de périr noyés lorsque la foule fera la vague...

Le maire a promis une piscine à un asile. Promesse tenue, et la piscine est construite. Le maire visite les patients et il les voit courir et bien s'amuser autour de la piscine. Il demande alors à un patient:
— Elle vous plaît bien, cette piscine?
— Oh oui! même que demain, ce sera encore mieux, puisqu'on va mettre de l'eau dedans...

— Dis, chéri, quelle est la différence entre un accident et une catastrophe?
— Un accident, c'est comme si ta mère tombait à l'eau et ne savait pas nager...
— Et la catastrophe?
— Si quelqu'un allait la repêcher...

Quelle est la différence entre une boîte de pois et un aquarium?
Dans la boîte, les pois sont (poissons) verts… dans l'aquarium, les poissons rouges…

Un homme ivre arrive à la maison et prend sa clé. Il ne parvient pas à débarrer la porte. Arrive un policier qui lui dit:
— Vous voulez que je tienne la clé, mon ami?
— Non, j'aimerais mieux que vous teniez la maison…!

Après avoir payé 50$ à la diseuse de bonne aventure, la femme dit à l'homme:
— Vous avez droit à deux questions.
— Vous ne trouvez pas ça un peu cher, pour deux questions?
— Oui… et maintenant, quelle est votre deuxième question?…

Un jour, deux amis décident d'ouvrir une boucherie.
— On va se pratiquer, pour voir si ce sera bien...
— O.K. moi je fais le boucher et toi le client...
— Très bien, et après, ce sera le contraire, O.K.?
— On commence...
— Deux liqueurs s'il vous plaît...
— Mais voyons, c'est une boucherie ici...
— O.K., deux bières s'il vous plaît...
— Mais non, c'est de la viande que je vends... Tiens, fais le boucher et je vais faire le client... S'il vous plaît, deux livres de steak et une livre de boudin...
— O.K., ça fait 8,50$ parce que t'as pas tes bouteilles vides...

Deux passants se rencontrent dans la rue:
— Hé, mon vieux Martin, ce que tu as changé depuis 15 ans! T'as grandi, t'as grossi, et t'as même perdu des cheveux! Ce que tu as changé!
— Mais voyons, je ne suis pas Martin, mais Robert!
— Ça alors, t'as même changé de nom!...

Le secrétaire newfie a tout défait le gâteau d'anniversaire de son patron, lorsqu'on lui a demandé d'écrire «Bonne Fête» sur le gâteau... Elle a essayé de mettre la machine à écrire sur le gâteau!...

À confesse:
— Mon père, je m'accuse d'avoir fait le mal...
— Avec vous-même, ou avec d'autres?
— Avec vous-même, mon père...

Le newfie entre dans un bar:
— Mademoiselle, voulez-vous danser avec moi?
— Never...
Il va voir une autre fille, même réponse. Il attend une heure, prend un verre, et lorsqu'il voit entrer une jolie fille, il s'approche d'elle et lui dit:
— Mademoiselle, j'aimerais danser avec vous vers never, never et quart...

Il y a une inondation dans la ville, et les sauveteurs et le curé se promènent en chaloupe pour sauver les derniers survivants. Soudain, l'un des sauveteurs aperçoit un chapeau qui se promène devant une maison de gauche à droite, sans arrêt...
— Mais qu'est-ce que c'est que ça, monsieur le curé?
— Ça, ce doit être encore Marcotte... Lui, beau temps mauvais temps, il tond son gazon...

194

Chez le barbier:
— Est-ce que je vous ai déjà rasé?
— Non, cette cicatrice là vient de la guerre...

Le colonel veut éprouver l'obéissance de ses hommes. Il demande à un soldat:
— Suppose que je te demande de tirer sur ton frère... Que ferais-tu?
— Je tirerais, car c'est un ordre.
— Félicitations, tu es un soldat obéissant.
— Non, je suis fils unique...

— Et votre nouvelle servante, elle est bien?
— Oui, très bien, et même très honnête.
— Si honnête que ça?
— Oui, rien ne disparaît dans la maison, pas même la poussière...

Le médecin à son patient:
— Il faudra vous y faire, vous devrez mener une vie de moine. Plus de vin, plus de cigarettes, et plus de petits dîners fins...
— Et je devrais me porter mieux?
— Peut-être pas, mais vous devriez être capable de payer vos comptes en retard...

Paul reçoit un appel au bureau, son voisin est à l'appareil:
— Vite, venez, votre maison est en feu!
— Et ma femme, et ma belle-mère? Elles ne sont pas brûlées?
— On les a sauvées à temps, mais elles sont mortes noyées...

— Ma femme m'enlève mes chaussures tous les soirs...
— Quand tu arrives de travailler?
— Non, quand je veux sortir!...

Paul à son père:
— J'ai une bonne nouvelle pour toi, papa. Tu ne devras pas m'acheter de nouveaux livres l'an prochain...
— Pourquoi?
— Parce que j'ai doublé mon année...

Le chef de la prison à un prisonnier:
— Vous allez me nettoyer cette cellule pour demain.
— On attend quelqu'un?
— Oui, le gouverneur...
— Enfin! On a réussi à le coincer, celui-là...

— Êtes-vous le jeune homme qui a sauvé ma fille de la noyade lorsque la glace a cédé?
— Oui, c'est moi, madame.
— Eh bien! où sont ses mitaines?...

☆

Au dépanneur:
— Des cigarettes, s.v.p.
— Quelle marque?
— N'importe quelle...
— King Size ou régulier?
— Régulier...
— Bout filtre?
— Oui...
— Un gros ou un petit paquet?
— Un gros...
— Menthol ou régulier?
— Oh! et puis laissez-donc faire, je crois que je vais arrêter de fumer...

Le garçon d'ascenseur a perdu son emploi: il s'égarait tout le temps entre les étages!...

— Une statistique dit que les hommes deviennent idiots après 30 ans...
— Quel âge avez-vous?
— 27 ans. — Eh bien! vous promettez!...

— Moi, monsieur le vendeur, je voudrais une chambre à coucher avec des meubles qui sortent de l'ordinaire, quelque chose que personne n'a...
— Vous voulez peut-être des meubles payés comptant...

À l'hôtel:
— Vite, garçon, préparez-moi un bain, ça presse.
— Chaud, tiède ou froid?
— Sans eau, je suis tellement pressé que je n'aurai pas le temps de m'essuyer...

Au bureau d'hygiène de la ville:

— Monsieur, nous sommes quatre qui habitons le même appartement, mais c'est intolérable. Le premier a deux singes, le deuxième a un kangourou, et le troisième a six lapins. Ça sent très mauvais dans l'appartement. Que devons-nous faire?

— D'abord, ouvrez les fenêtres toutes grandes pour faire aérer la pièce...

— Êtes-vous fou. J'ai bien trop peur que mes pigeons s'envolent!...

En cour:

— Allez, témoin, dites ce que vous savez...

— Je sais l'anglais, l'allemand, l'espagnol...

Dans la vitrine d'un grand magasin de chaussures, on annonce:

«À toutes les clientes qui auront réussi à choisir leurs chaussures en moins de 15 minutes, réduction de 24% sur le prix de vente...»

On dit que les fourmis sont les insectes les plus travaillants qu'il y ait au monde… Pourtant, je ne comprends pas ça, elles ont toujours le temps de venir à tous nos pique-niques…

Dans le métro à Montréal:
— Hé, jeune homme, avez-vous un permis pour jouer de la guitare dans le métro?
— Non.
— Alors accompagnez-moi…
— Très bien, que voulez-vous chanter?…

Un ours entre dans un bar et prend place:
— Un cognac s'il vous plaît.
— Voilà, c'est 10$. Je dois vous avouer que c'est bien la première fois que je vois un ours dans mon bar!
— Au prix où tu vends ton cognac, laisse-moi te dire que t'es pas près d'en revoir…

200

Le newfie a détourné un sous-marin. Ses exigences: 1,000$ et deux parachutes...

Le ramoneur de cheminées trouvait vraiment que la cheminée était basse... Il ne s'est jamais aperçu qu'il essayait de nettoyer la sortie de la sécheuse...

— Pourquoi pleures-tu, ma chérie?
— Parce qu'il me pousse encore une dent blanche comme les autres que j'ai...
— Mais c'est normal, qu'aurais-tu voulu?
— Une dent en or comme l'oncle Georges...

Un père de famille dont la femme est enceinte est assis dans la cuisine, tandis que son épouse est dans la chambre avec la sage-femme. L'enfant naît: c'est un garçon. Ô miracle, il marche et il parle. Il s'approche de son père et lui dit: «Papa, tu vas mourir dans une heure...»
N'en croyant pas ses oreilles, le père s'assoit dans la cuisine et attend sa fin, lorsqu'il entend soudainement un gros bruit sur le balcon. Il est inquiet, le temps est écoulé, il devrait être mort. La sage-femme va voir sur le balcon qu'est-ce qui a causé ce fracas et s'écrie:
— Ah! Le laitier est sur le balcon, il est mort...

La semaine dernière, j'ai fêté mes noces d'étain... 12 années de boîtes de conserves!...

La définition d'un voyage de noces?
Temps de repos pour un homme, avant de changer de boss...

— Papa, me donnes-tu un dollar si je te dis ce que le laitier a dit à maman ce matin?
— Oui, oui...
Et le père donne l'argent à son fils qui lui dit:
— Madame, prenez-vous une ou deux pintes de lait ce matin?...

Offusquée, la dame fait des reproches au garçon d'hôtel qui est entré dans sa chambre sans frapper:
— Vous auriez pu frapper avant d'entrer! J'aurais pu être nue...
— N'ayez aucune crainte à ce sujet, madame, je regarde toujours par le trou de la serrure avant d'entrer...

Deux newfies sont dans une piscine:
— L'eau est froide!
— Oui, on supporte bien notre maillot...

— Dis, papa, est-ce que la lune est habitée?
— Je crois.
— Alors, que font les gens quand, à la fin du mois, ils n'ont qu'un quartier pour y habiter?

— On peut pêcher dans ce lac?
— Oui, monsieur.
— Et si je pêche et que j'attrape un poisson, ce ne sera pas un délit?
— Non, ce sera un miracle!...

Le vendeur de bicyclettes se présente à la ferme:
— Vous ne voudriez pas acheter une bicyclette?
— Non, j'ai déjà deux animaux.
— Peut-être, mais je vous vois mal à dos de vache...
— Tout comme moi, je vous vois mal traire une bicyclette...

La mère arrive de l'hôpital avec le nouveau-né qui a encore son petit bracelet au poignet. Marie s'exclame:
— Regarde, maman, tu as oublié d'enlever le prix!...

Jacques à sa mère:
— Maman, maman, j'ai gagné un oeuf!
— En quelle matière?
— En chocolat...

Paul demande à Antoine:
— Aimerais-tu faire partie de notre chorale? C'est formidable, on rit, on danse, on boit, on flirte...
— Mais quand chantez-vous donc?
— En rentrant chez nous...

En classe:
— Pierre, conjugue-moi le verbe marcher au présent.
— Je marche... tu marches... il marche... ...
— Plus vite, plus vite...
— Nous courons, vous courez, ils courent...

Quel est le comble de la confiance?
Une femme qui fait l'amour avec un cannibale!...

Deux newfies discutent au bord de la route, lorsque passe un camion rempli de tourbe:
— J'ai assez hâte d'être riche, pour envoyer tondre mon gazon à l'extérieur...

En cour:
— Vous êtes veuve, madame?
— Oui, depuis sept ans, Votre Honneur.
— Vous avez des enfants?
— Oui, de 14... 9 et 4 ans... Votre Honneur.
— Mais vous venez de me dire que votre mari est mort depuis sept ans!
— Oui, mais pas moi!...

Moi, je compare le divorce à un repas... Les restes d'un homme font la collation des autres...

Paul entre dans la chambre à coucher avec un verre d'eau et deux aspirines. Sa femme le regarde et lui dit:
— Mais... je n'ai pas mal à la tête!
— Parfait, c'est justement ce que je voulais savoir...

Tu veux savoir quel genre d'homme est ton patron? Tu ouvres la porte de son bureau, et tu y jettes un chat. Si le chat reste, c'est un rat... si le chat sort, c'est un chien...

Le comble de la distraction pour un pirate de l'air? Détourner un taxi qui le mène à l'aéroport...

Le curé à Pierre:
— Sais-tu qu'un homme qui a deux femmes, c'est interdit par la religion?
— Pourquoi, monsieur le curé? Vous avez bien deux servantes, alors pourquoi ne pourrais-je avoir deux ménagères?...

Jésus entre en courant dans l'atelier de son père:
— Dis, papa, tu m'as appelé?
— Mais non, je me suis frappé un doigt avec le marteau...

T'as bien de belles bottes, j'aimerais ça en avoir...
— Ce sont des bottes de crocrodile...
Six mois plus tard, les deux mêmes hommes se rencontrent:
— T'as pas encore tes bottes de crocrodile?
— Ne m'en parle pas, je suis allé en Afrique et j'ai regardé près de 200 crocrodiles, et pas un n'avait des bottes!...

Le mariage, c'est comme aller au restaurant avec ses amis, et commander un plat. Et lorsque ton assiette arrive, tu préfères ce qu'il y a dans l'assiette du voisin!...

— Mademoiselle, vous êtes bien la secrétaire de la compagnie d'assurances? J'aimerais vous signaler qu'il y a eu du vandalisme à ma maison de campagne. C'est un ours qui a tout saccagé...
— Est-ce qu'il avait des gants, cet ours?
— Non...
— C'est regrettable, mais vous êtes seulement protégée contre les ours à gants (ouragans)...!

Offre d'emploi:
«Recherchons personne sachant compter jusqu'à dix, pour fabrique de gants...»

Pour un coureur de jupons, quelle est la différence entre une paire de pantoufles et sa femme?
Aucune. Il est bien dans les deux, mais il ne sort pas avec...

Le newfie a ouvert un ciné-parc, mais il a fait faillite...
   Il ne faisait que des représentations le jour...

Que se racontent deux somnambules lorsqu'ils se rencontrent?

Des histoires à dormir debout...

Le newfie a fait un hold-up dans un magasin de jouets et il a bâillonné tout le monde, même les poupées qui parlent...

Pourquoi une femme met-elle plus de temps à s'habiller qu'un homme?

Parce qu'elle doit ralentir dans les courbes...

Un curé à son vicaire:
— La semaine dernière, je suis allé prêcher devant plus de 300 nudistes...
— Ça ne vous a pas gêné?
— Non, sauf que je me suis demandé, au beau milieu du sermon, où ils pouvaient bien mettre leur argent pour la quête...

Dans un cimetière, un Chinois dépose un bol de riz devant la tombe de son père. Le gardien s'approche et:
— Pensez-vous qu'il va venir manger ce riz?
— Et les autres morts? Quand pensez-vous qu'ils vont venir sentir leurs fleurs?...

Deux grévistes arrivent à la porte du ciel, devant saint Pierre.
— Comment osez-vous vous présenter ici, devant moi, après toutes les grèves que vous avez faites sur la terre! Allez au diable, en enfer tous les deux...
Une semaine plus tard, Satan va voir saint Pierre:
— Tu sais, les deux grévistes de la semaine dernière, eh bien! tu vas devoir les reprendre: j'ai déjà deux fours d'arrêtés...

Un Arabe revient chez lui, après avoir visité le Canada. Un ami lui demande:
— Qu'est-ce qui t'a impressionné chez les Canadiens?
— Leurs talents de vendeurs... de répondre l'Arabe, en attachant ses patins à glace...

Depuis une demi-heure, un newfie met des pièces de monnaie dans une distributrice de liqueurs. À chaque fois qu'une liqueur descend, il met d'autres pièces. Un gardien s'approche:
— Que faites-vous là?
— Moi, tant que je gagnerai, je continuerai à jouer...

Pourquoi les vaches newfies ont-elles des freins à bras? Pour pouvoir manger l'herbe dans les pentes...

Au dépanneur, un newfie arrive avec un sac:
— Pour vous, monsieur?
— Je viens vous rapporter mes macaronis que j'ai achetés ce matin... Ils sont tous vides en dedans...

La femme newfie a acheté des poissons rouges:
— Où vas-tu les mettre? On n'a pas d'aquarium!
— Dans le bain.
— Et quand tu vas prendre ton bain?
— Je vais leur mettre un bandeau...

Dis, papa, tu es né à Montréal?
— Oui.
— Maman à Toronto?
— Oui.
— Et moi à Québec?
— Oui.
— Ce qui est drôle, c'est que l'on soit tous nés si loin et qu'on se soient rencontrés tous les trois...

Le comble de la malchance?
Un capitaine de bateau qui meurt d'une rupture de vaisseaux....

— Moi, j'aime bien les poèmes en vers...
— Moi aussi, c'est ma couleur préférée...

Deux hamburgers jouent à la cachette quand, finalement, l'un d'eux dit:
— Où steak haché?...

Pourquoi, le soir, les newfies marchent-ils de reculons dans les rues?
Pour voir s'ils sont suivis...

Jacques Lemaire s'est acheté un bar. Guy Lafleur lui rend visite, et demande un verre. Guy regarde son verre et y voit peu de boisson, et six cubes de glace...
— Les temps ont bien changé, mon Jacques, je me rappelle le temps où tu ne me donnais pas beaucoup de glace...

Le gros volcan à la petite colline:
— Ça ne vous dérange pas si je fume?...

— Docteur, se plaint une dame, je suis crevée, je suis à bout. Depuis que mon mari est malade, je dois le veiller 24 heures sur 24, et je n'ai plus de forces...
— Mais je ne comprends pas, je vous ai envoyé une infirmière pour le soigner...
— Justement, c'est à cause de cela...

En cour:
— Quand vous avez vu cette bague, vous l'avez prise, et vous n'avez jamais pensé à la remettre à son propriétaire?
— Non, Votre Honneur.
— Pourquoi?
— Parce qu'il y avait d'inscrit à l'intérieur: «À toi pour la vie»...

Deux newfies se promènent sur le bord de la mer:
— Regarde! Deux mouettes mortes!
— Où ça... demande l'autre, en levant la tête au ciel...

Quel est le comble pour un professeur de géographie?
Voir une rivière suivre son cours...

J'ai un ami tellement prétentieux que, le jour de son anniversaire, il a envoyé un télégramme de félicitations à sa mère...

— Fais-moi une phrase avec firmament...
— Grand-papa et grand-maman firmament... il y a 42 ans...

Cet homme négligeait tellement son épouse au profit du hockey à la télé, que cette dernière lui lança un ultimatum...:
— Si je ne sers plus à rien, échange-moi!...

Combien d'électricité dans un Q-Tips?
Deux watts...

En cour:
— C'est incroyable, vous avez écrasé cinq personnes au cours de la même année!
— Pardon, Votre Honneur, quatre, quatre personnes: il y en a une que j'ai écrasée deux fois...

— Pourquoi avoir tué votre femme avec un arc et des flèches?
— Je ne voulais pas réveiller les enfants...

Lui a 15 ans, elle a 35 ans. Il se lève et lui demande:
— Vous voulez danser?
— Je regrette, mais je ne danse pas avec un enfant...
— Excusez-moi, je ne savais pas que vous étiez enceinte...

Le curé s'approche d'un jeune homme, à la porte de son église:
— Êtes-vous le fiancé?
— Non, j'ai été éliminé en demi-finale...

Le policier interroge un suspect:
— Pourriez-vous me dire ce que vous faisiez et où vous étiez dans la nuit du 18 au 19 septembre 85?
— Eh oui, monsieur l'agent, j'étais ici à vous expliquer où j'étais la nuit du 4 au 5 août...

La mère kangourou à une amie:
— J'espère qu'il va faire beau aujourd'hui... Je déteste laisser les enfants jouer à l'intérieur...

Paul à son institutrice:
— Mademoiselle, je suis en amour avec vous!
— Mais voyons, Paul, je ne veux pas d'un enfant!
— C'est parfait, on fera attention...

On se marie par manque de jugement...
On divorce par manque de patience...
On se remarie par manque de mémoire...

Le patron à sa secrétaire:
— Où est mon crayon?
— Sur votre oreille...
— Allons, je suis pressé... sur quelle oreille?...

Quel est le comble de l'avarice?
Écouter la messe à la télévision, et fermer l'appareil lorsque vient le temps de la quête...

On a croisé dernièrement un mille pattes et une poule…
Résultat: des cuisses de poulets en masse…

— Pourquoi pleures-tu, mon petit garçon?
— Mon bonbon est tombé dans le lac…
— Et tu pleures juste pour un bonbon?
— C'est qu'il était dans la main de mon petit frère…

L'homme qui était en chômage depuis longtemps a eu un
accident…
Il s'est trouvé un emploi…

— Qu'as-tu à parler tant que ça?
— C'est de la faute à mon dentiste, il m'a vendu un
dentier de femme…

La femme fait une crise de jalousie à son mari:

— Chéri, si jamais tu me trompais avec une autre femme, je me suiciderais et je brûlerais tous mes vêtements pour l'empêcher de les porter...

— Voyons, ma chérie, que vas-tu penser là... D'ailleurs, Henriette flotterait dans tes vêtements...

Le passager monte dans l'autobus, et ne cesse de marcher de l'avant à l'arrière. Lorsque vient le temps de descendre, le chauffeur lui dit:

— Monsieur, quand vous êtes monté dans l'autobus, vous n'avez pas payé... alors, il faudrait payer...

— Je ne crois pas.

— Comment ça?

— Eh bien! vous ne m'avez pas vu faire? J'ai marché tout le long du trajet...

J'ai connu un homme qui savait exactement la date, le jour et l'heure de sa mort... C'est le juge qui le lui avait dit...

Que demandent deux cochons dans un hôtel?
Deux chambres à porc (à part)...

La semaine dernière, 200 moutons sont morts étouffés…
Ils sont demeurés sous la pluie et ils sont morts étouffés
quand ils ont séché au soleil et que leur laine a rétréci…

Pourquoi n'y a-t-il pas de clôture autour des cimetières?
Simple! Ceux qui sont dehors ne sont pas intéressés à y
entrer, et ceux qui sont en dedans ne peuvent en sortir…

— Monsieur, de dire le juge, vous serez pendu lundi
matin à sept heures…
— Ça ne me dérange pas du tout, je ne me lève qu'à
neuf heures!…

Vu l'autre jour: un newfie qui courait après un porc avec
une hache… Il voulait en faire une tirelire…

Un newfie à l'autre:
— Qu'as-tu? T'as l'air découragé?...
— Oui. J'ai échappé mes cubes de glace par terre, et je les ai mis dans l'eau chaude pour les laver, mais je ne les retrouve plus...

Elle à lui:
— Que fais-tu là avec ton sac de golf?... Ne devons-nous pas nous marier ce matin?
— Je t'ai dit qu'on se mariait seulement s'il pleuvait...

Une dame monte dans l'autobus et demande:
— Chauffeur, allez-vous à la Ronde?...
— Non, madame, je travaille aujourd'hui...

Un cannibale voit un avion:
— C'est quoi ça?
— C'est comme un homard... Tu ouvres ça et tu manges l'intérieur...

La femme à son mari:

— Tu dis que les moutons sont des animaux niaiseux et stupides?...

— Bien oui, mon agneau!...

Achevé Imprimerie
d'imprimer Gagné Ltée
au Canada Louiseville